BLOED AAN DE DEUREN

Jo Briels
Bloed aan de deuren

Vanaf 12 jaar

© 2002, Abimo Uitgeverij,
Beukenlaan 8, 9250 Waasmunster
foon: 052/46.24.07 fax: 052/46.19.62
website: www.abimo-uitgeverij.com
e-mail: info@abimo-uitgeverij.com

Eerste druk: september 2002

Cover en illustraties
Gunter Segers

Vormgeving
Marino Pollet

D/2002/6699/32
ISBN 90-59320-48-4

STICHTING NEDERLANDSE
KINDERJURY
2003

bloed aan de deuren

JO BRIELS

ABIMO
UITGEVERIJ

Mijn dank gaat:
naar Frank Pollet en Patrick Van Lysebetten voor hulp,
steun en goede raad;
naar Mark Van de Voorde voor de tips.
Jo

Een enorme knal davert door de lucht.

'Een ontploffing!'

Benjamin en Hassan duiken weg achter een laag muurtje dat vol kogelgaten zit. Ze blijven onbeweeglijk liggen. Er volgt geen tweede knal.

Benjamin zoekt zijn keppeltje dat van zijn hoofd is gegleden. Hij steekt het met een clip vast aan zijn haar. Hassan waaiert het stof uit zijn hoofddoek en slaat hem over zijn schouders. Ze stoten elkaar met de rechtervuist lichtjes aan, als teken van hun vriendschap. Daarna gaan ze op hun knieën zitten en leunen met hun armen op het muurtje.

'Alweer een Palestijn met bommen om zijn lijf die zichzelf heeft opgeblazen', veronderstelt Benjamin. 'Vorige week gebeurde het nog in deze straat.' Hij wijst naar enkele huizen aan de overkant. 'Er hangt nog bloed aan de deuren.'

'Ik vrees dat het altijd zo zal blijven', zucht Hassan. 'Wij willen ons land terug en jullie beletten dat.'

Benjamin blaast.

'Israël is van de joden. Van ons. Zo werd het aan onze voorouders beloofd.'

'Hei, jongens!' David, de pa van Benjamin, komt aanlopen. 'Hier zijn jullie dus. Alles in orde?'

Ze gaan alledrie op het muurtje zitten. Door een gat tussen twee vernielde huizen zien ze heel in de verte de vergulde top van de Rotskoepel op de Tempelberg, het hoogste punt van Jeruzalem.

David legt beschermend zijn armen over de schouders van de jongens.

'Ooit stond ginder onze tempel', wijst Benjamin.

'En mijn vader zegt dat onze profeet Mohammed er op zijn gevleugeld paard ten hemel steeg', zegt Hassan heftig.

David voelt een zoveelste discussie aankomen. Vlug komt hij tussenbeide.

'Jeruzalem is zowel voor joden als voor moslims een heilige plaats. En we mogen ook de christenen niet vergeten.'
Hassan springt van het muurtje af en gaat voor Benjamin en zijn pa staan.
'Waarom krijgen wij hier dan geen ruimte?' vraagt hij. 'Waarom weigeren jullie joden dat zo koppig?'
David klopt op de vrije plek naast zich.
'Kom weer zitten, Hassan. Luister, duizenden jaren geleden leefden de joden in ballingschap in Egypte. Ze droomden van een eigen land...'

Vijf prachtige zeilschepen voeren de Nijl af. Vier ervan waren bemand met soldaten. Het vijfde, dat in het midden voer, was luxueuzer en had de farao met zijn lijfwachten aan boord.

Ramses II keerde terug naar de nieuwe stad Piramese die hij in de delta van de Nijl had laten bouwen. Hij genoot met volle teugen van de reis op de rivier, de levensader van Egypte. Zonder haar zou zijn land niet eens bestaan.

'Wanneer de Nijl 's morgens opdroogt, is Egypte 's avonds dood', luidde een oosters gezegde.

Het grootste gedeelte van het land bestond uit woestijn met hier en daar een oase op een ondergrondse bron. De vruchtbare gronden waarop de boeren groenten teelden, lagen langsheen de Nijl en werden gevoed door een vernuftig systeem van sloten en kanalen dat het kostbare water naar de akkers bracht.

Het landschap ontrolde zich in afwisselende kleuren op beide oevers. Flamingo's en eenden vlogen soms een eindje mee met de schepen.

Al twintig jaar regeerde farao Ramses met vaste hand. Het

land was welvarend en geen enkele buur haalde het in zijn hoofd een aanval te wagen. Ramses had hen in een paar veldslagen laten voelen wie de baas was. Hij was ervan overtuigd dat hij bij zijn overwinningen steun had gekregen van de goden. Uit dankbaarheid bouwde hij voor hen indrukwekkende tempels.

Met volle zeilen haalden de schepen een hoge snelheid. De kapiteins kenden de grillen van de Nijl op hun duimpje en dat was nodig om de zandbanken te vermijden die zich steeds weer verplaatsten.

'Nijlpaarden!'

De kreet schalde ongemeen hard vanuit de voorste boot. In de verte wemelde een kudde nijlpaarden in het water. Enorme beesten die men beter uit de weg ging, want ze konden vreselijke beten toedienen.

Ogenblikkelijk lieten de kapiteins de zeilen reven om snelheid te minderen. De vier schepen met de soldaten gingen vooraan varen om de koninklijke boot volledig in bescherming te nemen.

De nijlpaarden versperden de rivier. Van de meeste dieren was enkel de bovenkant van hun imposante kop met wijdopen neusgaten te zien. Bij andere zaten ibissen op hun brede rug.

De schepen lagen nu bijna stil en de kapitein van de eerste boot zocht een mogelijkheid om de kudde te passeren zonder de beesten te storen. Nijlpaarden kunnen heel kittelorig reageren en ze zouden onmiddellijk aanvallen. Een geschikte doorgang vinden was niet gemakkelijk. Op de koop toe werden de schepen meegevoerd door de sterke stroming.

Geregeld ontmoetten boten op de rivier een paar nijlpaarden. Die vormden zelden een probleem, omdat ze uit zichzelf plaatsmaakten. Was het een hele kudde, dan reageerden ze dikwijls heel agressief. Het was voor de mannetjes een koud kunstje om met hun tweeduizend kilogram een schip omver te duwen.

De kapitein van de eerste boot had een smalle doorgang gevonden. Hij stuurde zijn schip er voorzichtig doorheen en voer daarbij rakelings langs de dieren. De tweede boot volgde onmiddellijk. De nijlpaarden keken niet eens op. Ook de derde boot kon zonder moeilijkheden de hindernis nemen. Met de vierde dreigde het mis te gaan. Die raakte even uit koers en stootte daarbij tegen het achterste van een nijlpaard. Het kolossale beest draaide zich om, net op het ogenblik dat het schip met de farao op zijn hoogte was. Boos bonkte het nijlpaard met zijn volle gewicht tegen de romp en de bootsman die het roer aan de rechterkant bediende, tuimelde overboord.

Een lijfwacht die op het achterdek stond, zag het gebeuren en merkte ook hoe het nijlpaard zijn machtige muil opende om de bootsman een dodelijke beet toe te brengen. Hij greep een touw dat op het dek lag en gooide het naar de bootsman. Die pakte het vliegensvlug beet. De lijfwacht slaagde erin, met de hulp van een paar makkers, de drenkeling aan boord te hijsen, net voor het nijlpaard zijn kaken dichtklapte. Door al dat geplons ontstond er hevige beroering bij de kudde. Het water kolkte toen de beesten zich in beweging zetten. Ze kwamen dreigend op het schip met de farao af.

De kapitein liet snel het zeil hijsen, waardoor de boot meer vaart kreeg. De bootsman spuwde een paar gulpen water uit en toen het gevaar geweken was, hield hij niet op zijn redders te danken voor zijn redding. Daarna zong hij de lof van de godin Toëris en beloofde in de tempel haar beeld, een rechtopstaand zwanger nijlpaard, te gaan vereren.

Van in het middenschip had Ramses, de armen voor de borst

gekruist, alles gevolgd zonder één spier op zijn gezicht te vertrekken. Hij leek uit steen gehouwen.

De rest van de reis verliep rimpelloos en Piramese kwam in zicht. De zeilen werden gereefd en roeiers namen de taak over om de schepen feilloos tot aan de kade te brengen. Ramses stapte aan wal en klom in een strijdwagen die voor hem klaarstond. De wagenmenner klakte met de tong en de paarden liepen in volle draf naar het paleis. De farao was weer thuis.

Ramses hield van de nieuwe stad die naar hem was genoemd. Piramese kwam van Pi-Ramses wat het huis van Ramses betekende. Voor haar had hij Thebe als hoofdstad opgegeven. Vanuit Piramese regeerde hij nu over Egypte.

'De farao is terug!'

Het nieuws ging rond als een lopend vuurtje, de hele stad door tot in de wijk waar de Hebreeërs woonden. Zij waren een volk apart, slaven met een zekere vorm van vrijheid. Slechts weinigen wisten nog hoe ze een paar honderd jaar geleden vanuit Kanaän, toen daar hongersnood heerste, naar Egypte waren gevlucht. Hoewel de Hebreeërs hier al generaties lang woonden, waren ze nooit aanvaard geworden als echte bewoners, ze bleven buitenbeentjes. Vooral in Piramese waren ze talrijk aanwezig, voornamelijk als handarbeiders die aan de bouw van nieuwe tempels, paleizen en huizen voor de rijke Egyptenaren werkten.

Ramses was als farao de zoon van de goden. Voor hen bouwde hij in het hele land tempels en monumenten. En daarvoor had hij dus de Hebreeërs nodig.

De dag na zijn terugkomst vergaderde de farao met de vizier, het hoofd van de paleiswacht, de commandant van de legerafdeling belast met de bescherming van de nieuwgebouwde stad, de generaal van het woestijnleger en een paar raadgevers. In de grote ontvangstzaal van het paleis zat hij in een zetel waarvan de poten de vorm hadden van leeuwenklauwen, een teken van zijn macht. Op de zijkanten waren lopende leeuwen afgebeeld. De zetel stond op een verhoging zodat Ramses kon neerkijken op de aanwezigen. Hij droeg een pruik en een lendenschort van geweven gouddraad. De spieren van zijn naakte tors verraadden de kracht die in hem schuilging. Om zijn hals hing een ketting van gekleurde parels en gouden armbanden omsloten zijn bovenarmen en polsen. Aan zijn voeten droeg hij witte sandalen met opgekrulde punten.

Iedere aanwezige bracht verslag uit van de gebeurtenissen die tijdens zijn afwezigheid hadden plaatsgegrepen. De farao luisterde aandachtig, maakte nu en dan een opmerking.

Plotseling vroeg hij: 'Waar is Mozes?'

Iedereen had die vraag verwacht. Allen bleven ze zwijgend staan met gebogen hoofd.

'Waar is Mozes?' Opnieuw klonk de vraag striemend als een zweepslag door de ontvangstzaal.

Omdat hij niet onmiddellijk een antwoord kreeg op zijn vraag, richtte de farao zich rechtstreeks tot de vizier.

'Waar is de Hebreeër? Vóór mijn vertrek had ik de opdracht gegeven hem met alle middelen op te sporen. Waarom heb ik daarover nog niets gehoord?'

'Hij is spoorloos, majesteit. Mozes is zoals een zandkorrel in de woestijn: onmogelijk te vinden in die onmetelijke vlakte waarin de ene zandkorrel op de andere gelijkt.'

'Mooie woorden', bromde Ramses. 'Hoe lang is hij al verdwenen?' Het woord *verdwenen* klonk spottend. De farao maakte een ongeduldig gebaar met zijn hand. 'Mozes sloeg een Egyptische opzichter die belast was met het toezicht op de Hebreeuwse werklui dood. De volgende dag werd het lijk toevallig gevonden. Mozes had het onder een laagje zand verborgen en sloeg op de vlucht. Drie maanden hebben jullie gezocht en nog niets gevonden.'

Een ijzige stilte volgde.

'Waar is hij?' Deze keer richtte hij zijn vraag tot de commandant.

'Ik ben er zeker van dat hij zich niet in deze stad verborgen houdt, majesteit. Mijn mannen hebben de hele Hebreeuwse wijk binnenste buiten gehaald. Alle huizen, iedere opslagplaats, elke schuur werd tot in de kleinste hoeken doorzocht. In geen geval is hij nog in de stad. Ik heb persoonlijk Aäron, zijn oudere broer, langdurig ondervraagd en hem duchtig op de rooster gelegd. Hij beweert dat hij na de moord niets meer heeft gehoord of gezien van zijn broer. Zijn antwoorden kwamen me eerlijk over en omdat Aäron hoog in aanzien staat in de Hebreeuwse gemeenschap heb ik hem laten gaan. Daarna liet ik hem natuurlijk in het geheim volgen. Mogelijk zou hij zijn broer eten brengen als die ergens verborgen zat. Het leverde niets op.'

Ramses keek nu naar de generaal. Die wachtte de vraag van de farao niet af.

'Ik heb verschillende patrouilles de woestijn ingestuurd. Ze hebben geïnformeerd bij de rondtrekkende bedoeïenen en hun zelfs een beloning beloofd als ze ons juiste inlichtingen konden bezorgen. Ook zij hebben geen man gezien die beantwoordt aan de beschrijving van Mozes.'

De commandant nam weer het woord.

'Alle kapiteins van de Nijlschepen, zowel zij die stroomopwaarts als zij die stroomafwaarts voeren, werden ondervraagd over de passagiers die ze hebben meegenomen. Ook dat maakte ons niets wijzer. We mogen voor waarheid aannemen dat de moordenaar niet langs de rivier is ontsnapt. Ik vraag me af of hij geen zelfmoord heeft gepleegd, omdat hij wist dat we hem vroeg of laat toch te pakken zouden krijgen.'

De farao boog zich voorover in zijn zetel.

'Ik wil geen dode Mozes!' tierde hij. 'Ik wil hem levend! Een Hebreeër doodt niet ongestraft een Egyptenaar! Blijf zoeken, alle dagen van de weken en maanden die nog komen. De zoektocht mag nooit ophouden.'

De mannen bogen diep en verlieten de ontvangstzaal. Ze wisten maar al te goed waarom Ramses Mozes per se levend in handen wilde krijgen.

Over die Hebreeër deden de meest vreemde verhalen de ronde. Iedereen wist dat hij was opgegroeid aan het koninklijk hof van Seti, de vader van de huidige farao. Over hoe hij daar als kind was terechtgekomen, werd het volgende verhaal verteld.

Toen farao Seti over Egypte heerste, vond die dat de Hebreeërs te sterk aangroeiden. Hij vreesde dat ze door hun aantal ooit een bedreiging zouden gaan vormen voor de Egyptenaren. Daarom had hij het bevel gegeven alle Hebreeuwse jongetjes onmiddellijk na hun geboorte te doden om op die manier de sterke groei van het Hebreeuwse volk te stoppen. De Hebreeërs Amram en Jochebed nu hadden al een dochter en een zoon toen Jochebed weer in verwachting raakte. Ze baarde een tweede zoontje. Uit angst dat het zou gedood worden, hielden ze het een poosje verborgen. Dat kon niet ongemerkt blijven en daarom legde Jochebed hem in een mandje van papyrus dat met asfalt was bestreken waardoor het op een bootje geleek. Ze zette het tussen het riet aan de oever van de Nijl in de hoop dat het door een Egyptische vrouw ontdekt zou worden, want Egyptenaren gingen geregeld baden in de rivier. De dochter van de farao, de oudere zus van Ramses, vond het mandje. De prinses ont-

fermde zich over de baby en ze noemde hem Mozes, wat betekent: uit het water getrokken. Hij werd aan het hof, samen met Ramses, opgevoed als een echte Egyptenaar. Hij kleedde zich als een Egyptenaar, studeerde en leerde de Egyptische goden kennen. Na de dood van zijn vader werd Ramses farao. Door het vele werk als koning van Egypte kregen Mozes en Ramses minder contact. Omdat de nieuwe farao zoveel monumenten, tempels, huizen en paleizen liet bouwen, had hij veel arbeidskrachten nodig. Hij vond het best dat er veel Hebreeërs waren. Die had hij op de bouwwerven nodig als arbeidskrachten en de jongetjes werden dus niet meer gedood.

Hoewel opgevoed als Egyptenaar vergat Mozes nooit dat hij een Hebreeër was. Geleidelijk werkte hij zich op tot hun leider. Mozes werd de tussenpersoon tussen hen, de Egyptische opzichters op de bouwwerken en de overheid. Door zijn kennis stond hij hoog in aanzien. Iedereen respecteerde hem.

Niemand begreep waarom Mozes een Egyptische opzichter had doodgeslagen.

Ramses was diep teleurgesteld in de man met wie hij was opgegroeid. En daarom stelde hij steeds opnieuw dezelfde vraag.

'Waar is Mozes?'

De Hebreeër scheen opgegaan in lucht. Hij werd niet gevonden, ook de volgende twee jaren niet.

Iramoen was een van de koninklijke zonen van Ramses. Geen natuurlijke zoon door geboorte. Geen verwant van vlees en bloed. Het was de gewoonte dat de farao een groep jonge kerels uitkoos. Zij werden de *koninklijke zonen* genoemd en kregen een speciale opleiding. Mocht de faro onverwacht zonder eigen kinderen sterven, dan zou uit die groep een waardige opvolger worden gekozen.

Iramoen was uitverkoren, omdat hij vrij jong al een bijzondere aanleg had voor het lezen en schrijven van hiërogliefen, het aartsmoeilijke beeldschrift van de Egyptenaren. Hij schreef de tekens als geen ander en daarom tekende hij hiërogliefen op de zuilen en muren van tempels, zodat de steenkappers ze daarna konden inkappen.

De knaap had een heilige bewondering voor Ramses. De farao was immers een vleesgeworden godenzoon. Hij regeerde het land in opdracht van de goden. Zijn goddelijke vader Osiris had hem dat voorgedaan door uit de hemel te komen en de eerste koning van Egypte te worden. Voor een gewone sterveling was het een uitzonderlijke gunst de grond voor de voeten van de farao te mogen kussen. Hij,

Iramoen, mocht gewoon met hem praten en genoot de opperste eer in zijn nabijheid te leven.

De jongen vond het een voorrecht te mogen meewerken om de goden een nieuw huis te bezorgen, een tempel van steen, een huis voor de eeuwigheid! Tempels werden gebouwd met harde steen, afkomstig uit de steengroeven in het zuiden.

Door zijn werk aan de tempel kwam hij veel in aanraking met de Hebreeërs die het zware en ruwe werk moesten opknappen. Hij zag iedere dag hoe ze zwoegden als echte slaven en merkte dat ze niet altijd even correct werden behandeld. Wanneer sommige Egyptische opzichters de zweep gebruikten, kromp hij ineen alsof hij de slagen op zijn eigen rug voelde.

De gewone huizen van de Egyptenaren en zelfs het paleis van de farao werden vervaardigd met slibstenen. Die stenen maakten de Hebreeërs door het slib van de Nijl te mengen met gekapt stro en het in vormen te duwen. Gedroogd in de zon waren de stenen klaar voor de bouw. Dat was geen materiaal voor de eeuwigheid.

Ramses liet in de buurt van de Hebreeuwse wijk alweer een nieuwe tempel bouwen als dank aan de goden nadat hij met zijn leger in de veldslag bij Kadesj zijn vijanden, de Hettieten, had verpletterd. Er werd verteld werd hoe hij in zijn eentje duizend vijanden had gedood. Egypte wist zich weer een tijd veilig. De grenzen werden extra beschermd tegen mogelijke invallers.

Het was een warme dag.

Iramoen zette in sierlijke tekens het verhaal van de overwinning bij Kadesj op de tempelmuur, zodat de geletterden met eigen ogen konden lezen hoe machtig hun farao was.

De knaap stond met ontbloot bovenlijf op de hoogste planken van een steiger. Op zijn hoofd had hij een linnen doek geknoopt om zich te beschermen tegen de hevige zonnestralen. Rustig bracht hij een na een de moeilijke hiërogliefen aan op de muur.

Het plein voor de tempel lag verlaten. Het zoemen van insecten was het enige geluid.

Een ezeldrijver passeerde met drie dieren naast de tempelmuur. De ezels waren met touwen aan elkaar verbonden en liepen netjes in de rij. Ze droegen zware stenen op hun rug. De dieren sjokten met hun kop naar beneden in een zelfde langzame tred. Hun poten gooiden kleine stofwolkjes op.

Plotseling kreeg het voorste beest een venijnige prik van een steekvlieg in het linkeroor. De ezel schrok, gooide zijn kop omhoog en balkte luid. Tegelijk maakte hij een dolle zijwaartse sprong, waardoor de twee andere uit de pas geraakten. Het achterste beest stootte met zijn zware vracht tegen een steunpaal van de steiger die vervaarlijk heen en weer wiegde.

'Hé, wat moet dat?' schreeuwde Iramoen.

Een van de bovenste planken gleed weg, tuimelde naar beneden en raakte de middelste ezel op zijn kop. Hij begon wild in het rond te springen en bonkte op zijn beurt tegen de steiger aan.

De voerman vloekte en probeerde de dieren te bedaren.

Een touw van de steiger schoot los en nog meer planken gleden weg.

Iramoen probeerde zich vast te grijpen. Omdat hij helemaal bovenaan stond, vonden zijn klauwende handen geen houvast. Hij viel, sloeg met zijn hoofd tegen de tempelmuur en bleef in een wolk van opwaaierend zand liggen. De ezeldrijver bleef staan, maar toen hij zag dat de knaap niet meer bewoog, raakte hij in paniek. Omdat er niemand in de buurt was, maakte hij zich vlug uit de voeten zonder naar de gevallen knaap om te zien. Zijn beesten sleurde hij met zich mee.

Een plank lag schuin over Iramoen.

Uit een van de huisjes aan de rand van het plein kwam een man te voorschijn. Hij was groot en stevig en had een volle baard. De man liep naar de roerloze gestalte onderaan de kapotte steiger. Hij gooide de plank opzij, knielde neer en betastte heel voorzichtig achtereenvolgens de armen en de benen van de onfortuinlijke knaap.

'Op het eerste gezicht geen breuken', mompelde hij.

'Is hij dood?'

Een tweede man kwam aanlopen.

'Neen', zei de man met de baard. 'Maar dat zal niet lang meer duren. Kijk.'

Hij trok de linnen hoofddoek weg. Het hoofd van Iramoen was aan een kant gezwollen. De man tilde de oogleden van de knaap op. Het wit van de ogen vertoonde een gelige glans.

'Door de val heeft hij een zwaar hersenletsel opgelopen. De druk in zijn hoofd moet worden weggenomen en dat kan alleen een van de lijfartsen van de farao.'

Hij pakte de knaap op.

'Wat ga je doen?' vroeg de tweede man.

'Ik breng hem naar het paleis.'

'Je bent gek.'

De man met de baard reageerde niet op die opmerking. Nagekeken door de tweede man haastte hij zich naar het paleis van de farao met Iramoen in zijn armen.

De schildwacht zag hem naderen en vroeg op barse toon: 'Wat moet dat?'

'Deze knaap heeft een zware val gemaakt. Als hij niet dringend wordt behandeld door een van de lijfartsen van de farao, sterft hij', antwoordde de man met de baard.

'Scheer je weg', gromde de schildwacht. 'De artsen hebben wel wat anders aan hun hoofd.'

'Ook als dit een van de zonen van de koning is?'

De soldaat schrok en liet de man met de baard binnen. Geen twee minuten later lag Iramoen op een tafel in een van de koninklijke vertrekken en kwam een arts aangelopen. Die onderzocht Iramoen en zei: 'We moeten snel aan het werk of het is te laat.'

De man met de baard hoorde het niet meer, hij liep stilletjes naar buiten. Toen hij bijna aan de poort van het paleis was, voelde hij een zware hand op zijn schouder. Hij draaide zich om. Voor hem stond het hoofd van de paleiswacht.

'Meer dan twee jaar zijn we naar jou op zoek, Mozes. Ik was ervan overtuigd dat je niet meer in leven was. Ook al heb je nu een baard, ik zou je uit duizenden herkennen. Op bevel van de farao arresteer ik je op beschuldiging van moord. Of ontken je dat je Mozes bent?'

'Ik ben inderdaad Mozes', antwoordde de man met de baard. 'En ik wil de farao wat graag spreken. Ik heb een heel belangrijke boodschap voor hem.'

'In de kerker mag je op hem wachten. De farao maakt een inspectiereis door Egypte en die duurt een paar weken.' Hij bracht zijn gezicht tot vlak bij dat van Mozes. 'Je hoeft niet bang te zijn, moordenaar. Er zal je niets gebeuren. De farao wil je levend.'

'Waarom zou ik bang zijn?' vroeg Mozes. 'Mijn tijd is nog niet gekomen. Ik moet eerst een heel bijzondere opdracht vervullen.'

Het hoofd van de paleiswacht bracht hem naar de kerker

van het paleis. Mozes liep trots, met opgeheven hoofd, met hem mee, als was hij het die de leiding had.

In de Hebreeuwse wijk had iedereen het over de aanhouding van Mozes. Een paar dagen tevoren was hij in het diepste geheim in Piramese opgedoken. Niemand had hem gezien of gehoord toen hij midden in de nacht aanklopte aan het huis van zijn drie jaar oudere broer Aäron. Die had hem verborgen gehouden. De meeste Hebreeërs vonden het stom dat hij was teruggekeerd. Wie loopt nu met open ogen in de muil van een leeuw? Maar tegelijk waren ze nieuwsgierig waarom hij was teruggekomen.

Omdat Aäron vlak tegenover de nieuwe tempel woonde, had Mozes het ongeluk met Iramoen zien gebeuren.

De Hebreeërs begrepen niet waarom Mozes de jonge tekenaar van hiëroglyfen, een zoon van de farao nog wel, naar het paleis had gebracht. Wat kon hen het schelen dat die een ongeluk overkwam. Ze werden zelf immers door de Egyptenaren als minderwaardige wezens beschouwd en behandeld als slaven.

Enkel de stamvaders van de verscheidene Hebreeuwse familiegroepen kenden het waarom van Mozes' terugkomst. Hij had lang met hen gepraat en had hen verteld wat er precies was voorgevallen en waarom hij was gevlucht.

'Ik woonde al die tijd in de woestijn en ben met een belangrijke boodschap hierheen gekomen', had hij gezegd. 'Een boodschap voor de farao en voor alle Hebreeërs die in Egypte in ballingschap leven.'

Het had indrukwekkend geklonken, maar hoe nieuwsgierig ze ook waren, meer had Mozes niet willen loslaten. Hij moest die boodschap eerst overbrengen aan de farao en pas daarna zou hij hen op de hoogte brengen. Maar nu zat

Mozes in de kerker en het zou wel even duren voor hij Ramses kon spreken, als die dat al wilde!

Meer dan een maand later keerde de farao terug in Piramese. Het hoofd van de paleiswacht vertelde hem onmiddellijk dat Mozes in de kerker zat. De volgende dag verscheen de Hebreeuwse leider voor Ramses.

De farao werd bijgestaan door zijn vizier. Aan zijn rechterkant stonden Iramoen met omzwachteld hoofd en de lijfarts die hem had behandeld. Ook zeven raadgevers waren aanwezig om, mocht het nodig zijn, de koning bij te staan.

Een ambtenaar-schrijver zat aan een tafeltje in de hoek van het vertrek. Hij moest op papyrusvellen het verloop van de ondervraging noteren.

Twee soldaten brachten Mozes naar binnen met zijn handen op de rug gebonden. Op een teken van de farao werd het touw losgemaakt.

Mozes boog diep en zei: 'Gegroet, majesteit.' Hij draaide zich vervolgens naar Iramoen. 'Ik ben blij dat het beter met je gaat.'

'Je spreekt niet vooraleer de farao het woord heeft genomen', bitste de vizier hem toe.

'Met uw welnemen, dat doet u nu ook', antwoordde Mozes. Bij die rake opmerking speelde heel even, onmerkbaar bijna, een kleine glimlach om de mondhoeken van de farao. Dan werd hij ernstig.

'Ik ben je dankbaar, Mozes, omdat je door je vlugge reactie het leven van een van mijn zonen hebt gered.'

'Het grootste deel van uw dankbaarheid komt de lijfarts toe die uw zoon opereerde, majesteit. Zonder zijn kennis en vaardigheid zou de knaap hier niet staan.' Bij die woorden maakte Mozes een lichte buiging naar de arts die niet goed wist hoe hij daarop moest reageren.

Ramses stond langzaam op, waardoor hij nog hoger boven Mozes uittorende. Hij stak zijn rechterarm uit. Twee glimmende gouden armbanden met de afbeelding van een kever, symbool van eeuwig leven erop, rinkelden zacht bij dat gebaar. Hij wees naar Mozes en plotseling stond op zijn gezicht felle woede te lezen.

'Jij hebt twee jaar geleden een Egyptenaar gedood en het lijk verborgen.'

'Ik heb inderdaad een moord begaan, majesteit. En ik maakte een grote fout door het dode lichaam met zand te verbergen en op de vlucht te slaan. Dat gebeurde in een paniekreactie die ik diep betreur.'

'Je betreurt je vlucht. Moet je niet evengoed het doodslaan van een Egyptenaar betreuren?'

'Iemands leven nemen is altijd betreurenswaardig, majesteit. Maar ik had een geldige reden voor die droeve daad.'

Er klonk zacht gemompel in het vertrek, een heel ongewone reactie in het bijzijn van de koning. De schrijver keek verschrikt op. Enkel op het gezicht van Ramses viel geen emotie te bespeuren.

'Verklaar je nader.'

'De gedode Egyptenaar was opzichter bij de bouwwerken. Hij ging bijzonder brutaal om met mijn mensen. De zweep lag erg los in zijn hand. Isaac, een van onze steenmakers, was ziek. Hij kreeg geen verzorging en sleepte zich naar zijn werk. Omdat hij niet genoeg presteerde, sloeg de opzichter hem tot bloedens toe. Ik kwam tussenbeide en raakte met de Egyptenaar in een handgemeen. Het gevolg van die ongelukkige slag kent u.'

'Mogelijke getuigen zijn natuurlijk alleen Hebreeërs', spotte de farao. 'Iedereen weet dat ze niet te vertrouwen zijn.'

Het gezicht van Mozes verstrakte bij die uitspraak.

'Toch niet, majesteit. Op het ogenblik van mijn misdaad was een Egyptenaar aanwezig. Hij kwam materiaal leveren en wilde er niet bij betrokken worden. De man maakte zich vlug uit de voeten. Waarom zou hij in het voordeel van een Hebreeër getuigen? Die zijn volgens Zijne Majesteit immers niet te vertrouwen.'

De spanning was te snijden bij die boude uitspraak.

'Ik laat de zaak onderzoeken. Tot zolang blijf je opgesloten. Breng hem weg.'

Toen de Hebreeër tussen twee soldaten het vertrek verliet, riep Ramses hem na: 'Mozes, je zei bij je aanhouding dat je een belangrijke boodschap voor me had.'

'Een heel belangrijke, majesteit. Die hoort u wanneer ik vrij kom.'

Mozes zat in de kerker van het koninklijk paleis. Dagen, weken gingen voorbij. Geen mens keek naar hem om. Eten en drinken werden in stilte naar binnen geschoven. Het leek erop dat men zijn zaak vergeten was!

Tot op een dag een bewaker de deur wijd opengooide.

'Bezoek voor je.'

Iramoen stapte de kerker in. Het verband om zijn hoofd was weg en zijn haar groeide opnieuw in kleine stekelige plukken. Mozes zag dat de knaap zijn linkerbeen lichtjes sleepte, een gevolg van het hersenletsel dat hij had opgelopen bij zijn zware val. Hij boog het hoofd voor de zoon van de farao.

'Ik ben jou veel verschuldigd', zei Iramoen. 'Zonder jouw hulp was ik niet meer in leven.'

'Wat ik deed, had ik voor iedereen gedaan', antwoordde Mozes.

'Het kostte je in dit geval een aanhouding en daar wilde ik wat aan doen. Ik ben op zoek gegaan.'

'Wat zocht je?'

'Ik heb goed nieuws, Mozes', glimlachte de knaap. 'Ik vond de Egyptenaar die op het moment van de doodslag materiaal leverde. En nog beter, ik heb hem overtuigd om een getuigenis af te leggen.'

'Waarom deed hij dat niet eerder?'

'Hij werd al geruime tijd door diezelfde opzichter afgeperst en moest hem rijkelijk betalen om materiaal te mogen leveren. Hij zag jullie vechten en de opzichter vallen. Maar hij wist niet dat die dood was. De volgende dag voer hij af naar Aswan om graniet te halen. Toen hij terugkwam, vernam hij de dood van de opzichter. Voor hem goed nieuws, hij was immers verlost van de afperser en jij was verdwenen. Gelukkig voor mij kwam je terug, anders stond ik hier niet. Ik spoorde die Egyptenaar op om jou een wederdienst te bewijzen. Intussen getuigde hij voor jou bij de farao. Ik kom zeggen dat je vrij bent. Ramses verwacht je.'

Voor Mozes de jongen kon bedanken, was Iramoen verdwenen. Omdat niemand hem kwam halen en de deur van de kerker bleef openstaan, keek Mozes de gang in. Niemand. Hij liep naar de grote ontvangstkamer. Enkel Ramses zat er. Geen vizier, geen raadgevers, geen schrijver. De farao was gekleed in een eenvoudige linnen lendenschort. Hij droeg geen enkel juweel en liet daarmee duidelijk merken dat het geen officiële ontvangst was.

'Je kunt als een vrij man het paleis verlaten', zei Ramses. Meer commentaar gaf hij niet. Mozes boog eerbiedig het hoofd. Hij dankte niet, zei geen woord. Na een lange stilte stond Ramses op en gebaarde Mozes hem te volgen.

'Je gaat me vertellen waar je zolang hebt gezeten en ik wil je boodschap horen.'

Mozes liep met de farao mee tot in een kleinere kamer met uitzicht op de paleistuin.

'Na de onvrijwillige doodslag vluchtte ik de woestijn in.'

'Mijn soldaten hebben je daar gezocht en niet gevonden.

Zelfs de bedoeïenen konden geen informatie over jou geven.'

'De woestijn is groot. Een nomadenfamilie nam me op in haar midden. Welke het was, verklap ik niet. Ik wil hen behoeden voor de wraak van de farao.'

Die uitspraak bezorgde hem een giftige blik van Ramses.

'Ik werd een van hen. Voor de bewoners van de woestijn is het een fijne plek.'

'Als het er zo fijn is, waarom kwam je dan terug?'

'Ik was dat niet van plan. Waarom zou ik ook? Op een dag ging ik op zoek naar twee schapen die waren afgedwaald van de kudde. Aan de voet van de berg Horeb zag ik een braambos branden. Dat komt meer voor door de grote hitte. Nieuwsgierig liep ik dichterbij en stelde vast dat het vuur de struik niet verteerde. Vanuit de brandende struik hoorde ik de stem van god.'

De farao reageerde heftig.

'Het is heel aanmatigend dat je me zoiets durft vertellen. De goden spreken enkel met hun zoon, de farao. Jij bent opgegroeid als Egyptenaar. Je weet maar al te goed dat ik de zoon ben van Osiris. Waarom zou een god zich verlagen om met een gewone sterveling een gesprek te houden?'

Ramses zag dat Mozes niet reageerde.

'Spreek op. Jij kent al onze goden. Wie was het? Zeker niet de oppergod. Het gebeurde in de woestijn, zei je. Dan kan het Min, de vorst van de oostelijke woestijnwegen zijn geweest.' Hij maakte een ongeduldig gebaar. 'Ach, wat een onzin, een god die tot jou spreekt. Hoogstwaarschijnlijk is het Bes geweest. Hij is maar een halfgod, meer een beschermgeest. Ja, ja, het was Bes.'

Mozes deed zijn mond niet open. Ramses ging verder.

'Het is natuurlijk ook mogelijk dat je een valk zag vliegen en

dacht dat het Horus was. Die vertoont zich onder de gedaante van een valk. Je lijdt aan grootheidswaanzin, Mozes. Het
is niet omdat je naast mij aan het hof opgroeide dat ook jij
door de goden bevoorrecht bent. Het wordt tijd dat je je juiste plaats leert kennen.'

'De god die vanuit het brandende braambos tot mij sprak,
was geen Egyptische god, majesteit. Het was de god van de
voorouders van mijn volk. Hij is de Heer van de Hebreeërs.'

'Sla geen wartaal uit, Mozes. Jij kent al onze goden en je weet
waarvoor ze zorgen. Geef hun de eer die hun toekomt en
spreek geen lasterlijke taal.'

Mozes schudde het hoofd. 'Ik ken de Egyptische goden.
Allen verbleken ze bij de enige echte god die in de woestijn
tot mij heeft gesproken.'

De farao werd woedend.

'Als je zo blijft praten, zal Set, de god van onweer, storm en
geweld met zijn kromme snuit en zijn gespleten oren je te
pakken krijgen. Let op je woorden. Je bent nog maar net vrij
en misschien moet ik je alweer laten opsluiten.'

Mozes boog het hoofd.

'Ik vertel u enkel wat me overkwam, majesteit. Onze god die
vanuit het brandende braambos tot me sprak, gaf me een
opdracht.'

'En die is?'

'Ik moet mijn volk, de Hebreeërs, wegleiden uit Egypte. Veel
te lang al leven ze hier in ballingschap.'

'Waarheen zouden jullie gaan?' spotte Ramses.

'Lang geleden beloofde onze god aan onze voorouders
Abraham, Isaac en Jacob dat hij hun ooit een eigen land zou
geven. En nu is de tijd daarvoor gekomen. Ik moet mijn
broeders door de woestijn naar het beloofde land brengen.'

De farao was onder de indruk. Nooit had iemand het aangedurfd op die manier tot hem te spreken. Er klonk zoveel overtuiging uit Mozes' woorden dat Ramses een rilling over zijn rug voelde lopen.

'Je bent gek', reageerde hij. 'Wie zal mijn tempels oprichten? Wie zal nieuwe huizen bouwen? Denk jij echt dat ik mijn arbeiders laat gaan?'

'Arbeiders? U bedoelt uw slaven, majesteit. De Heer, onze god, wil het en niemand kan zich tegen hem verzetten.'

De farao begon onbedaarlijk te lachen. Hij hield niet op en moest even later de tranen uit zijn ogen vegen.

'Mozes, Mozes toch. Denk jij dat de Hebreeërs je zullen volgen door de onherbergzaamheid van een woestijn naar een land dat ze niet eens kennen? Denk jij dat ze je zullen volgen omdat je hun vertelt dat een onbekende god je dat heeft opgedragen? In Egypte hebben ze werk, voedsel en huizen. De woestijn is een gevaarlijke plek. Het is er brandend heet, de zon doodt! De zonnegod Ra heeft er jouw hersens beschadigd.'

Hij wuifde met zijn hand Mozes naar buiten.

Toen hij weg was, bleef Ramses lange tijd nadenken over wat Mozes hem had verteld. Lachen deed hij niet meer. Mozes' woorden verontrustten hem. Van die Hebreeuwse god was hij niet bang. De Egyptische goden waren talrijker en beslist veel sterker. Maar Mozes was een bekwame voorman geweest op de bouwwerven. Tot hij gevlucht was, hadden de Hebreeërs hem als leider aanvaard. Een stevige leider kon de mensen het hoofd op hol brengen. Hoe zouden ze reageren wanneer Mozes hun die vreemde boodschap gaf?

Misschien was hij in de woestijn toch gek geworden?

Hij moest in ieder geval voorkomen dat de Hebreeërs Mozes zouden volgen!

Van iedere Hebreeuwse stam was de stamvader na het vallen van de duisternis naar het huis van Aäron, de broer van Mozes, gekomen. Nu hun leider vrij was, waren ze nieuwsgierig naar zijn boodschap. Ze zaten in een grote kring. Mozes vertelde hun over zijn verblijf in de kerker en hoe hij dank zij de getuigenis van een Egyptenaar was vrijgelaten. 'Ik bracht de farao de boodschap die ik heb gekregen. Nu zijn jullie aan de beurt om ze te aanhoren. Tijdens mijn verblijf in de woestijn heeft de Heer, de god van onze voorouders, vanuit een brandend braambos tot mij gesproken.'

Dat veroorzaakte enige opschudding bij de stamvaders. Mozes wachtte tot ze bedaard waren.

'Hij gaf me het bevel om de Hebreeërs, zijn uitverkoren volk, weg te leiden uit Egypte naar het land dat hij lang geleden aan onze voorouders heeft beloofd. Het is tijd, broeders, we moeten gaan!'

'Hoe reageerde de farao op die boodschap?' vroeg Ruben.

'Hij zei dat ik gek ben.'

'Dat is zo. Je bent gek', zei Simeon.

'Ramses lachte en hij zei dat de Hebreeërs mij niet zullen volgen, omdat ze het hier veel te goed hebben.'

'Dan heeft de farao groot gelijk', knikte Levi, een bijzonder dikke stamvader die voortdurend dadels in zijn mond stopte en ze doorzwolg met zoet bier. 'Waarom zouden we naar een onbekend land gaan? We hebben hier voedsel, werk en huizen.'

'Dat zijn precies de woorden die ook de farao gebruikte. Maar wij zijn geen arbeiders, wel slaven.'

'Niet overdrijven, Mozes', zei Levi met volle mond.

'Ben jij vergeten hoe twee van je zoons als straf naar de granietgroeven werden gestuurd omdat ze het waagden betere werkomstandigheden te vragen?', beet Mozes hem toe. 'De

Heer heeft onze voorouders een eigen land beloofd en nu roept hij ons. Jullie zijn te lui en te gemakzuchtig geworden. Jullie aanvaarden als lammeren je ellendige lot.'

'Zo slecht is dat niet', klonk de stem van een stamvader.

'Oh nee?' teemde Mozes. 'Ben je vergeten dat we leven bij de genade van de farao? Ben je vergeten dat de vader van Ramses, farao Seti, indertijd de Egyptische vroedvrouwen het bevel gaf om bij een geboorte enkel de Hebreeuwse meisjes te laten leven en de Hebreeuwse jongetjes te doden? Toen dat plan mislukte, liet hij de pasgeboren Hebreeuwse mannelijke baby's in de Nijl gooien. Hij was bang dat we te talrijk zouden worden.'

'Dat is lang geleden. Zoiets gebeurt niet meer. Wij zijn nu de bouwers van de farao.'

'En wat als Ramses of zijn opvolger ons niet meer nodig heeft? In Egypte zullen we altijd vreemdelingen blijven, een onderdrukt volk. Het is tijd om naar ons eigen land te trekken.'

'Waar is dat land? Hoe heet het?' wilde Ruben weten.

'Kanaän, een land van melk en honing.'

Even was er stilte. Gerson, de oudste van de aanwezige stamvaders nam het woord. Omdat hij blind was, vergezelde zijn kleinzoon Kenan hem overal waar hij ging. Door een ongeval op de bouwwerf was het rechterbeen van de knaap korter geworden, waardoor hij bij het lopen hobbelde als een gans.

'En wat gebeurt er met hen die daar nu wonen? Zullen zij hun land zomaar aan ons afstaan? En de stammen die we onderweg ontmoeten, zullen zij ons vrije doorgang verlenen? Waarmee zullen we ons voeden in de woestijn?'

'Op die vragen kan ik je nog geen antwoord geven', zei Mozes. 'Eerst moet ik de farao ervan overtuigen ons te laten gaan. Eens op weg zijn we in handen van de Heer, onze god.'

'Gaan die handen ons beschermen?' spotte Jishar, die de leiding had over de timmerlieden. 'Let op, Mozes, we mogen de kracht van de Egyptische goden niet onderschatten.'

Die opmerking ontlokte een goedkeurend gemompel aan de aanwezigen.

'Onze god staat alleen tegenover een leger van Egyptische goden.'

'Aan zijn woord mogen we niet twijfelen', zei Mozes.

'Mozes heeft gelijk', viel Aäron hem bij.

'Dat zeg je omdat je zijn broer bent!' riep een andere stamvader die tot dan toe alleen had geluisterd. 'Heeft onze god echt tot Mozes gesproken? Hoe weten we dat? We hebben lang niets van hem gehoord. Hij was ons vergeten. Moeten we nu het verhaaltje over dat brandende braambos blindelings geloven? Wie te lang in de woestijn verblijft, ziet waanbeelden, dingen die er niet zijn. Soms hoort hij stemmen. We mogen ons niet in een avontuur storten dat velen van onze familieleden het leven kan kosten.'

Mozes stond op en pakte een lange stok die in een hoek van de kamer stond.

'Aan deze staf heeft onze god een wonderbaarlijke kracht gegeven. Hij zal de farao en jullie overtuigen van zijn macht.'

'Sla er de farao mee op zijn hoofd en terwijl hij bewusteloos ligt, hollen we met z'n allen weg', grapte Levi, de dikke stamvader.

Hij was een beetje nijdig op Mozes en probeerde hem belachelijk te maken.

Plotseling gooide Mozes de staf in de kring van stamvaders. De stok veranderde in een slang die zich sissend oprichtte. Overal klonken kreten van angst en afschuw. De dikke Levi klom van schrik haast tegen de muur omhoog.

Mozes bukte zich, greep de slang bij haar staart en hield opnieuw een staf in de hand.

'Kleingelovigen', fluisterde hij. 'En toch zal ik jullie met de hulp van onze god uit Egypte weghalen.'

'Loop alleen naar de woestijn!' schreeuwde Levi.

Mozes keek hem aan en stak zijn hand in zijn zak. Heel traag haalde hij ze er weer uit en toonde ze aan Levi. De hand zag sneeuwwit en was bedekt met een vieze schimmel. Verschrikt keek iedereen toe. Had Mozes een lelijke ziekte opgelopen? Opnieuw stak hij zijn hand in zijn zak. Toen hij ze voor de tweede keer te voorschijn haalde, had ze weer een normale huidskleur.

Zwijgend verlieten de stamvaders het huis van Aäron. Ze waren niet echt overtuigd door Mozes' boodschap, wel diep onder de indruk.

Een uur later sloop een gestalte, gehuld in een lange mantel, vanuit de Hebreeuwse wijk naar het paleis van de farao. Hij hobbelde als een gans. Aan de paleiswacht zei hij een paar woorden. Onmiddellijk werd hij toegelaten.

Kenan werkte al lang als spion voor Ramses en bracht hem verslag uit van wat er op de bijeenkomst van de stamvaders was gezegd.

De volgende morgen riep de farao zijn raadgevers bij zich en deelde hen mee wat Mozes hem had verteld. Het verwekte opschudding.

'We mogen de macht van die man over de Hebreeërs niet onderschatten', zei Ramses. 'Niemand kent hem beter dan ik.'

'Ik kan me niet voorstellen dat Mozes met die boodschap veel aanhang krijgt', antwoordde een van de raadgevers. 'Ze staan niet te trappelen om hem te volgen in een gevaarlijk woestijnavontuur. Ik denk niet dat er veel gevaar dreigt.'

'Ik laat hen aan den lijve voelen dat ik niet gediend ben met die onzin', gromde Ramses. 'Geen ogenblik rust krijgen ze. Ze zullen geen tijd hebben om naar de praatjes en de leugens van Mozes te luisteren. Totnogtoe kregen ze voor het vervaardigen en bakken van slibstenen het nodige stro. Van nu af moeten ze daar zelf voor zorgen en toch iedere dag dezelfde hoeveelheid stenen leveren als voorheen. Geen steen minder!'

De jongste raadgever merkte op: 'Vreest Zijne Majesteit niet dat die maatregel mogelijk het omgekeerde effect heeft? De Hebreeërs zullen zich verongelijkt voelen en zich achter Mozes scharen.'

'De opzichters moeten de Hebreeërs vertellen dat die maatregel de schuld is van Mozes. Hij wordt hun zondebok. Mijn bevel gaat morgen in en moet stipt worden uitgevoerd.'

'Zoals Zijne Majesteit verkiest', antwoordde de raadgever. Hij was het niet eens met de farao, maar liet het niet merken.

's Anderendaags deelden de Egyptische werkleiders de Hebreeërs mee dat ze voortaan zelf voor het stro moesten zorgen. Stomverbaasd waren ze. Zonder stro was het onmogelijk om slibstenen te maken. En toen ze op de koop toe vernamen dat ze dezelfde hoeveelheid stenen per dag moesten leveren, waren ze buiten zichzelf van woede. Ze dreigden met een opstand. De stamvaders waren ontzet en protesteerden bij de opzichters.

'Het is de schuld van Mozes!' antwoordden die.

Een eerste kleine protestopstand werd hardhandig uiteen geslagen en een paar oproerkraaiers verdwenen als straf naar de grintgroeven in het zuiden.

De Hebreeuwse gemeenschap splitste zich in twee groepen. De ene stelde Mozes verantwoordelijk voor die onmenselijke maatregel en de andere gaf hem krediet.

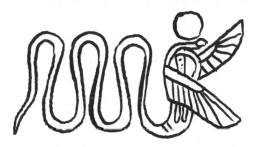

Mozes riep opnieuw de stamvaders bijeen. Sommigen waren boos omdat ze hem de schuld gaven van de zwaardere werkomstandigheden. Ze aarzelden om te komen. Mozes zelf echter had de voorbije weken keihard gewerkt om het nodige stro te bezorgen. Daarom waren ze toch aanwezig.

'Morgen gaan Aäron en ik met de farao praten', zei Mozes. 'Ik zal hem vragen onze arbeiders menselijker te behandelen. Tegelijk vraag ik hem of we een offer mogen brengen.'

'Een offer?' vroeg Ruben.

'We gaan drie dagreizen de woestijn in om een offer te brengen aan de Heer, onze god. Daar zal hij jullie overtuigen dat we naar het beloofde land moeten trekken. Ramses moet ons daarvoor de toelating verlenen.'

'Hoe zal hij reageren, denk je?' spotte Levi. 'Geeft hij ons een vrijgeleide?'

'Dat doet hij in geen geval', antwoordde Mozes. 'De farao weigert en dan zal hij ondervinden dat met de god van onze voorouders niet te spotten valt.'

Hij stak zijn staf omhoog. De stamvaders begrepen wat hij van plan was.

De rest van de avond volgde de ene discussie na de andere tussen voor- en tegenstanders. De Hebreeërs bleven verdeeld.

Achter het paleis van de farao lag een prachtige tuin. Doordat het gebouw op een lichte heuvel stond, liep de tuin in verschillende terrassen naar beneden. Iedere verdieping had een eigen beplanting. Het hoogste terras bestond uit een grasperk dat het hele jaar groen bleef. Op het volgende prijkten exotische bloemen, zodanig gekozen dat ze elkaar afwisselden in bloeitijd. Het derde terras bevatte alle groenten waar de farao van hield: uien, zoete knoflook, radijzen, kikkererwten, waterkers, bonen, linzen en sla. Op het laatste terras, het grootste, lag een grote zwemvijver die gevoed werd door een fontein die op het hoogste terras midden het gazon stond. Terwijl het water naar beneden stroomde, liep het langs kleine kanaaltjes die de overige terrassen van het levensnoodzakelijke water voorzagen. In de vijver zwommen eenden en groeiden lotusbloemen. Vanuit het paleis kon men door een met palmen en acacia's omzoomde weg naar beneden lopen tot aan een paviljoen naast de vijver. Overal zorgden sierbomen voor de nodige schaduw. In een grote kooi fladderden kolibries, hoppen en ijsvogels.

Ramses zat in de schaduw van een acacia. Iramoen zwom rustig heen en weer in de vijver. De lijfarts van de farao had hem veel lichaamsbeweging aanbevolen. De knaap had aan het ongeval een vermindering van zijn evenwichtsgevoel overgehouden. Omdat hij ook met zijn linkerbeen bleef slepen, was werken op de bouwsteigers te gevaarlijk geworden. Tot zijn spijt kon hij niet verder hiërogliefen op de tempelmuren tekenen. Ramses had hem daarom aangesteld als koninklijk secretaris. De knaap noteerde de verslagen van alle vergaderingen en belangrijke bijeenkomsten.

Een dienaar kwam de tuin in. Iramoen hoorde hem tegen de farao zeggen: 'Majesteit, de man is er weer.'

Iramoen vond het vreemd dat de naam van de bezoeker niet werd genoemd. Nog vreemder was het dat de bezoeker niet naar de farao werd gebracht. Ramses stond op en liep naar een paar dichte struiken aan de verste uithoek van de vijver. Een rare plaats om een bezoeker te ontvangen.

Iramoen kon zijn nieuwsgierigheid niet bedwingen. Hij dook onder water en gleed zacht als een vis naar het andere eind van de vijver waar hij voorzichtig zijn hoofd boven de rand stak. Tussen de takken van de struiken zag hij een gestalte waarvan hij het gezicht niet kon onderscheiden.

'Vertel op', klonk de stem van de farao.

'De stamvaders zijn gisteravond weer samengekomen in het huis van Aäron. Mozes had hen bijeengeroepen, omdat hij deze namiddag met u komt spreken. Hij heeft hun verteld over hun god, die hen wil weghalen uit Egypte.'

'Dat heb je me de vorige keer al verteld.'

'Ze willen een offer brengen in de woestijn. Als u weigert, gaat Mozes zijn staf in een slang veranderen om de macht van zijn god te tonen.'

Iramoen wist dat de Egyptische inlichtingendienst voor de strijd tegen de vijand spionnen in dienst had. Een spion die zich rechtstreeks tot de farao richtte, was nieuw voor hem. Tegelijk vroeg hij zich af waarom iemand zijn eigen volk verraadde, want de man die met Ramses sprak, was duidelijk een Hebreeër.

Het gesprek tussen de farao en de Hebreeuwse spion ging nog even verder, maar Iramoen kon niets meer verstaan. Even later zag hij de man verdwijnen. Hij liep als een gans. De knaap dook weer onder en zwom naar de andere kant van de vijver waar hij zich op de oever hees.

Ramses riep hem.

'Iramoen, ga naar de bibliotheek van de tempel, haal alle schrijftabletten en papyrusrollen die je vindt over magie en slangen. Zeg onze magiërs, dat ik hen onmiddellijk in het paleis verwacht.'

Terwijl de jongen die opdracht uitvoerde, was Mozes geen ogenblik uit de gedachten van Ramses. Zou de leider van de Hebreeërs misschien ook een zoon van zijn god zijn, net zoals hij? Toen de spion hem de vorige keer had verteld dat Mozes voor de stamvaders zijn staf had veranderd in een slang, was hij verbaasd geweest. Hoe was dat mogelijk? Hij moest er meer over weten. Zat de god van de Hebreeërs er voor iets tussen, dan was het een god om rekening mee te houden. Misschien wisten zijn magiërs er meer van.

De farao was er niet helemaal gerust op.

Ramses had aan de vraag van Mozes om hem en zijn broer te ontvangen een gunstig gevolg gegeven. De Hebreeuwse leider wist niet dat hij voor de hele hofhouding zou verschijnen. In de grote ontvangstzaal stonden ze allemaal: de ministers met hun assistenten, de deskundigen in de heilige wetenschappen, astrologen, generaals, raadgevers en hovelingen. Die laatsten waren prachtig gekleed en allen, op uitzondering van de lijfarts, droegen ze ingevette pruiken op het hoofd. Iramoen kwam aanzeulen met papyrusrollen die hij op een lange tafel gemaakt van acaciahout schikte. Hij brokkelde een klein stukje zwarte kleurstof stuk, goot er een weinig water op en voegde er boomschors aan toe. De inkt was klaar. Hij legde een doos met rieten pennen voor zich en wachtte. Het onderhoud tussen de hoogste Egyptenaar en de eenvoudige Hebreeërs moest nauwkeurig worden opgetekend.

Het was bloedheet buiten. Openingen juist onder het dak van het paleis lieten toe dat een frisse wind van over de Nijl voor enige koelte zorgde. Parfumbranders verstrooiden fijne geuren. In grote vazen stonden exotische bloemen. Het geroezemoes in de zaal hield op toen de farao, omringd door vijf magiërs met een staf in de hand, binnenkwam. Ramses ging in zijn leeuwenzetel zitten. De magiërs gingen naast hem staan, drie aan de linkerkant en twee aan de rechterkant.

Paleiswachten leidden Mozes en zijn broer Aäron naar binnen. De Hebreeërs droegen een eenvoudig kleed. Het reikte tot aan de grond en stak schril af tegen de protserige kledij van de hovelingen.

De pracht van het paleis overweldigde Aäron die er tot dan nog nooit een voet had gezet. Het kwam hem voor dat hij over water liep, want in de geglazuurde vloertegels stonden afbeeldingen van vissen die tussen lotusbloemen zwommen. Op de muren zag hij geschilderde margrieten, papavers en korenbloemen waarboven eenden vlogen.

Aäron droeg de staf van Mozes in zijn hand en hij week niet van de zijde van zijn broer. Ze liepen tot voor de leeuwenzetel, bogen diep en bleven in gebogen houding staan tot Ramses vroeg: 'Wat wil je, Mozes?'

'Majesteit, ik vraag erbarmen voor mijn volk. U hebt hen zwaar gestraft. Ik vraag u de strafmaatregel op te heffen.'

'Jij hebt er schuld aan, Mozes. Jij bracht de stamvaders het hoofd op hol met die god van jou die je zogezegd een boodschap gaf. Door het vele werk zullen ze weer normaal leren denken.'

'Als leider van de Hebreeërs heb ik een vraag voor u, majesteit. Wij willen met onze gemeenschap een offer brengen aan de Heer, onze god.'

'Jij weet van geen ophouden, Mozes', beet Ramses hem toe.
'En wat belet je dat te doen? We hebben een keuze aan goden die je kunt vereren en offers brengen. Zij zorgen ervoor dat Egypte een welvarend land is waarvan jullie ook profiteren. In mijn welwillendheid stel ik iedere tempel tot jullie beschikking. Ik ben zelfs bereid een nieuwe tempel te bouwen, enkel voor de Hebreeërs. Kies maar een van onze goden en we starten met de bouw.'

'Onze Heer is de god van onze voorouders, majesteit. Hij hoeft geen tempel. Hij vraagt ons drie dagreizen ver de woestijn in te trekken om hem daar in de open lucht een offer te brengen.'

'Geen sprake van, Mozes! De Hebreeërs moeten tevreden zijn met de Egyptische goden waartussen ze een keuze kunnen maken: Bastet, de godin van de liefde, Chnoem, de god van de schepping, Imhotep, de beschermer van de bouwmeesters, Ptah, die de wereld heeft gebouwd, jij kent ze allemaal. Heb je het moeilijk om een keuze te maken, dan zullen mijn hoofdpriesters je helpen.'

'De Heer, onze god, staat boven de Egyptische goden, majesteit.'

Muisstil werd het.

De woorden van Mozes klonken als heiligschennis. Iramoens handen beefden en de rieten schrijfpen viel uit zijn hand. Een trilling in de wang van de farao verraadde hoe diep hij door die uitspraak was getroffen. Hij behield evenwel zijn zelfbeheersing en zei: 'Je vroeg erbarmen voor je volk. Vraag dat medelijden aan je god, je zult het nodig hebben, dat verzeker ik je. En als jouw god zo machtig is, lever mij daar dan het bewijs van.'

Het klonk als een uitdaging en terwijl hij dat zei, speelde een raadselachtige glimlach om zijn mond.

Mozes gaf een teken aan Aäron die de staf op de grond gooide. De stok raakte de vloer en veranderde in een slang die over de glanzende vloertegels kronkelde tot voor de leeuwenzetel van Ramses. Daar richtte ze zich op en siste vervaarlijk. De aanwezigen wisten niet wat ze zagen. Iramoen ging rechtstaan om beter te kunnen zien wat er gebeurde. De farao bleef rustig zitten en glimlachte geamuseerd. Hij knipte met zijn vingers. De vijf magiërs deden een stap vooruit. 'Nu zijn jullie aan de beurt', grinnikte Ramses.

Ze gooiden ieder een stok op de grond die eveneens ogenblikkelijk in een slang veranderde. De reptielen kropen in het rond over de gladde vloer. De hovelingen deinsden met verschrikte kreten achteruit. Enkel de generaals probeerden manhaftig te blijven staan.

De verbazing op het gezicht van Aäron was groot.

Ramses stond recht en schamperde: 'Is dat een bewijs van de macht van jouw god? Mijn magiërs zijn zo sterk als die Heer van jou, Mozes. Je ziet dat ik me daarover geen zorgen moet maken.'

De zes slangen wriemelden door elkaar. Mozes stak zijn hand uit en wees naar zijn slang. Ze beet een na een de andere serpenten dood.

Weer was er die trilling in de wang van de farao. Hij was kennelijk niet opgezet met de afloop van het spektakel.

'Jullie blijven zelf voor het stro zorgen en het aantal stenen per dag blijft hetzelfde', zei hij.

Mozes pakte zijn slang bij de staart en met een staf in de hand liep hij naar buiten. Aan de deur bleef hij staan, draaide zich om en zei: 'We zien elkaar nog, majesteit. Ik kom wanneer mijn god het me beveelt.'

Een van de generaals wilde woedend op hem toelopen, maar de farao gebaarde hem Mozes ongemoeid te laten.

Op weg naar de Hebreeuwse wijk hijgde Aäron: 'Hij wist het, Mozes. Ramses wist het van de staf die een slang werd. Iemand heeft het hem verteld. Hij was erop voorbereid en daarom reageerde hij zo zelfzeker. Je zult andere middelen moeten gebruiken om de farao te overtuigen.'

'De Heer, onze god, wist ook dat Ramses niet te vermurwen was en dat hij niet zou toegeven. Het wordt een strijd der goden. We mogen nooit vergeten dat het beloofde land ons roept.'

Aäron zuchtte.

Mozes en Aäron hadden nog maar pas het paleis van de farao verlaten of Ramses voer woedend uit tegen zijn magiërs. Hij verweet hen sukkelaars te zijn, omdat de slang van Mozes de hunne had doodgebeten waardoor een deel van het verrassingseffect was verloren gegaan. De tovenaars antwoordden dat het zuiver toeval was.

'We hebben duidelijk aangetoond dat de hele vertoning een doodgewone truc is die wij, magiërs, ook beheersen', zei een van hen.

'We kunnen de macht van die Hebreeër breken', stelde een tweede magiër voor.

'Hoe ga je dat doen?' vroeg de farao.

'We maken wassen beeldjes van die man en gooien ze in het vuur.'

'Begin er dadelijk mee.' Aan de toon van zijn stem kon men horen dat Ramses zijn twijfels had. 'Ik weet uit goede bron dat de Hebreeërs verdeeld zijn. Sommigen volgen Mozes, anderen niet. Hij gebruikt een god die hij zelf heeft verzonnen en probeert hen zo allen op zijn hand te krijgen. Dat moeten we met alle middelen beletten.'

'We gooien hem in de gevangenis.'

Dat idee kwam van een generaal. Even aarzelde Ramses.

'Neen', oordeelde hij. 'Zolang de Hebreeërs verdeeld zijn, is er geen gevaar.'

Hij stuurde iedereen weg, behalve Iramoen. Die kreeg de opdracht de papyrusrol met het verslag van de gebeurtenis te vernietigen.

'Niemand van het nageslacht zal ooit weten wat hier vandaag is voorgevallen', legde hij uit.

Het duurde niet lang of de Hebreeuwse gemeenschap vernam wat in het paleis van de farao was gebeurd. Daarvoor zorgde Aäron. Het voorval met de slangen werd druk besproken. De Hebreeërs vonden het een knappe actie van Mozes. Toch bleven ze in twee kampen verdeeld.

De ene helft vond dat ze het best Mozes konden volgen. Hij had hen de ogen geopend. In feite hadden ze toch maar een luizenleven. Ze wáren slaven. De farao deed met hen wat hij wilde. De Egyptenaren beschouwden hen als minderwaardig. Wie niet als bouwvakker arbeidde, stond in dienst van een Egyptische familie, die hun ook niet netjes behandelde. Ze hadden recht op een eigen land waar ze hun eigen baas konden zijn. De wonderbare staf van Mozes had hen overtuigd dat hun god hen bijstond en dat hij machtig was. Natuurlijk, de magiërs van de farao hadden ook van hun staf een slang gemaakt, maar die waren naderhand alle vijf doodgebeten.

De andere helft vond het leven in Egypte niet zo slecht. Mozes was in hun ogen een fantast, een oproerkraaier die hun hoofden op hol probeerde te brengen. De magiërs van de farao hadden ook slangen getoverd. De Egyptische goden waren dus even sterk als de god van hun voorouders. Waarom kwam die nu plotseling opduiken en hun bevelen geven? Door de woestijn trekken? Goed gek was hij.

Iramoen kreeg het moeilijk en hij werd heen en weer geslingerd tussen bewondering en afkeer. Hij was Mozes oneindig dankbaar omdat die zijn leven had gered. Maar hij begreep niet waarom de Hebreeuwse leider had gezegd dat zijn god boven de Egyptische goden stond. Die hadden toch al dikwijls het bewijs geleverd van hun macht. Waarom erkende Mozes dat niet? Hij had het steeds weer over zijn god. Waarom had die geen naam? En één god voor een heel volk. Wat een idiote bedoening! De farao had het optreden van Mozes kunnen opvangen door het verraad van een Hebreeuwse spion. Niet fraai… wel handig.

De knaap snuffelde in de papyrusrollen van de tempelbibliotheek op zoek naar aanwijzingen over de god van de Hebreeërs. Hij vond niets en vroeg zich af wat Mozes nog zou uithalen. Dat die vastbesloten was om met zijn volk naar de woestijn te trekken, had hij duidelijk laten voelen.

Ieder jaar rond dezelfde periode steeg het water van de Nijl en overstroomden de akkers. Een goede zaak, want als het water terugtrok, liet het vruchtbaar slib achter en konden de boeren ploegen en zaaien. Dat leverde een goede oogst op en het volk leed geen honger. Enkel als het water hoog genoeg steeg! Daarvoor werd de hulp van de goden ingeroepen.

'Ik vertrek morgen naar Abydos', zei de farao tegen zijn vizier. 'Ik ga er het feest ter ere van de god Horus bijwonen. Het is tijd dat het Nijlwater gaat stijgen. Horus kan ons daarbij helpen.'

In Abydos had de vader van Ramses een tempel gebouwd voor Osiris. In dat heiligdom waren drie kapellen en één ervan was toegewijd aan Horus, de zoon van Osiris. Hij was de hemelgod in de gedaante van een valk. Zijn ogen waren zon en maan. Hij werd afgebeeld als een trots rechtopstaande valk of in mensengedaante met een valkenkop.

Boodschappers hadden de priesters van de tempel in Abydos op de hoogte gebracht van de komst van de farao. Het was voor hen een hele eer en in allerijl werd een prachtige villa ingericht om Ramses te ontvangen.

Ieder jaar vingen de priesters een klein valkenjong dat werd grootgebracht in de tempel. De vogel woonde er in een gouden kooi en kreeg de beste hapjes gevoerd. Hij moest groot en sterk worden, want op het feest van Horus tooiden de priesters hem met kostbare juwelen waarna ze hem vrijlieten. Met de sieraden en de gebeden van de Egyptenaren moest hij naar de hemelruimte vliegen. Slaagde hij daarin, dan kon men er zeker van zijn dat het Nijlwater hoog genoeg zou stijgen.

Vanuit de verre omgeving waren Egyptische boeren naar Abydos gekomen. Voor hen was de vlucht van de valk heel belangrijk. Ze stonden aan de Nijl en keken uit naar de drie koninklijke schepen die in de verte zichtbaar werden. Soldaten uit een naburige legerplaats zorgden voor de orde. De schepen meerden aan en onder luid gejuich werd de farao in een draagstoel van boord gedragen. Iedereen boog diep.

De boeren waren verheugd, want de aanwezigheid van de farao betekende een kostbare hulp om van het offer een succes te maken. Als de valk zijn taak goed volbracht, zou binnen afzienbare tijd het water van de Nijl genoeg stijgen en kon er met de volgende oogst niets misgaan.

Ramses liet zich naar de tempel dragen, Daar stapte hij uit de draagstoel. De grote buitenpoort draaide open en gevolgd door de priesters liep hij over de binnenplaats. De hoofdpriester opende de binnendeur van de tempel en van daar af verkoos de farao alleen verder te gaan. Met een olielamp in de hand schreed hij behoedzaam door de zuilenzalen. De pilaren stelden samengebundelde papyrusstengels voor en ze steunden het dak, het hemelgewelf.

In het verste gedeelte lagen de drie kapellen. In de kapel van Osiris zag hij afbeeldingen van zijn vader die wierook brandde en wijn offerde. Hij liep verder naar de kapel van Horus en bewonderde er een prachtig reliëf in schitterende kleuren. Ramses keek naar de god Horus die aan Seti een scepter overhandigde als teken van goddelijke waardigheid en macht. Hij legde zijn hand op de afbeelding van Horus en sloot zijn ogen. De kracht van de god stroomde door zijn lichaam en dankbaar verliet hij de tempel.

De volgende dagen inspecteerde hij de kanalen die het water moesten leiden. Hij onderhield zich langdurig met de opzichters en gaf hen instructies over de maatregelen die ze moesten nemen wanneer het water van de Nijl zou stijgen. De kanalen dienden grondiger gereinigd en sommige dammen verstevigd. Landmeters kregen de opdracht zich klaar te houden om na de overstroming de akkers op te meten en te schatten hoe groot de verwachte oogst kon zijn. Aan de hand daarvan werd de grootte van de belasting bepaald. Ramses vergaderde eveneens met architecten en bouwmeesters over de veranderingen die hij aan de tempel wilde aanbrengen.

Woedend stelde hij vast dat van sommige tempeldeuren kleine stukjes goud waren losgepeuterd. De schade moest onverwijld worden bijgewerkt, de boosdoeners gezocht en zwaar gestraft.

Een week later brak de dag van het feest aan.

Al vroeg in de morgen stonden boeren en dorpsbewoners te wachten op het plein vóór de tempel. Aan hoge vlaggenmasten wapperden kleurige wimpels. Vandaag mochten de gewone Egyptenaren de tempel binnen, tot op de binnenplaats. De priesters volgden hun gewoon ochtendritueel. Samen met Ramses wasten ze zich in het heilige meer om gezuiverd de tempel te betreden. Een van hen putte water in een bronzen emmer.

De farao kleedde zich in een lange, doorzichtige tuniek die de lijnen van zijn machtige lichaam lieten doorschemeren. Een driedubbele ketting hing om zijn hals. Aan zijn rechterpols zat een brede gouden armband. In het midden ervan prijkte Horus als kind op een lotusbloem, omringd door cobra's om hem te beschermen. Ramses droeg een dubbele kroon op het hoofd, ze symboliseerde de eenheid van Egypte. In zijn hand hield hij een scepter.

De gewone stervelingen vormden een haag voor de farao die in een draagstoel door de grote buitenpoort naar binnen werd gedragen. Met enige schroom liepen ze achter hem aan tot op de binnenplaats waar ze zich vergaapten aan de uitgekapte tekeningen op de muren. Die toonden hen de overwinningen die farao Seti had behaald op zijn vijanden.

In het midden van de binnenplaats stond een stenen offertafel.

De hoofdpriester opende de met goud beklede deur van het heiligdom. Muisstil werd het. Niemand verroerde een vin. Het was alsof de adem van de goden vanuit de tempelduisternis naar buiten waaierde.

De farao stapte uit zijn draagstoel en wandelde met de priesters naar binnen. Sommigen droegen schalen met het fijnste voedsel erop. Ze schreden naar de kapel van Horus waar nooit een gewone Egyptenaar een voet mocht zetten. Er stond een grote altaarkist. De priesters zongen feestelijke gezangen om Horus te wekken. Ramses opende de kist en pakte het beeld van de god eruit.

De offerdragers zetten de schalen met voedsel vóór het beeld en iedereen trok zich terug om de god niet te storen bij zijn ontbijt.

Een hele poos later waste Ramses eigenhandig het godenbeeld met heilig water uit de bronzen emmer. Horus was klaar voor de nieuwe dag. Het feest van de valk kon beginnen.

Zingend liepen de priesters naar buiten. De Egyptenaren op het binnenplein zagen achter hen de farao vanuit de duistere tempel in het zonlicht stappen met de gouden kooi in zijn hand waarin de valk zat. Ramses zette de kooi op de stenen offertafel en opende haar. Voorzichtig nam hij de vogel beet. Het beest was zo tam dat de farao er niet de minste moeite mee had. Ramses hield de vogel hoog boven zijn hoofd en toonde hem aan de aanwezigen.

'Horus!' riep hij.

'Horus!' herhaalden de priesters met luide stem.

De dorpsbewoners durfden de naam van de god slechts mompelen.

Ramses tooide de valk met kostbare juwelen. Om zijn nek kreeg de vogel een paar fijne gouden kettingen met parels. Aan iedere poot werd een kostbare ring geschoven.

Opnieuw hield de farao met beide handen de valk hoog boven zijn hoofd om hem aan de menigte te tonen. De hoofdpriester bad hardop: 'Horus, aanvaard dit offer dat we u aanbieden. Samen met onze gebeden zal deze vogel, uw evenbeeld, naar u toe vliegen.'

De farao zette de valk op de offertafel en deed een stap achteruit. Het was bang afwachten of hij zou opvliegen.

De valk wankelde even onder het gewicht van de sieraden en waggelde onhandig over de offertafel. Iedereen keek gespannen toe. Hij trippelde tot voor de open kooi, hield zijn kop scheef en gluurde naar binnen als wilde hij de veiligheid ervan opzoeken.

Er was geen ademzucht hoorbaar op de binnenplaats. Gespannen keken priesters en boeren toe.

Stapte de vogel terug in de kooi, dan betekende het dat

Horus het offer niet aanvaardde en zou de Nijl misschien niet voldoende stijgen. En zonder overstroming van de rivier konden ramspoed en hongersnood de gevolgen zijn.

De vogel pikte aan de ringen om zijn poten als wilde hij die last afwerpen. Totaal onverwacht klapwiekte hij met zijn vleugels en steeg op. Hij fladderde een eindje weg, vloog bijna tegen de buitenmuur van de tempel aan en scheerde er dan toch overheen. De boeren liepen naar buiten en zagen hoe de valk in het riet aan de oever van de rivier dreigde terecht te komen. Hij herpakte zich en klapwiekte over het water van de Nijl de opkomende zon tegemoet.

Een luid gejoel steeg op. De dorpsbewoners grepen elkaar vast en begonnen te dansen. Het feest kon beginnen. De farao had voor de goede afloop kruiken bier bezorgd.

Zelf nam hij niet deel aan het festijn en liet zich naar de schepen brengen, die onmiddellijk koers zetten naar Piramese.

Ramses voelde zich gesterkt. De goden waren met hem en hij was een waardige godenzoon gebleken.

Ook in Piramese was het feest. De nieuwe tempel in de stad, de vierde al, was voltooid en de farao ging er een offer brengen. De tempel was gebouwd als woning voor Min, de god van de vruchtbaarheid die kon zorgen voor een goede oogst. De bewoners van de stad stonden in een lange rij van aan het koninklijk paleis tot aan de nieuwe tempel om de farao toe te juichen. Iedereen was in een goed humeur, omdat het water van de Nijl dag na dag steeg. Stroomopwaarts waren de overstromingen al begonnen.

Op weg naar de tempel moest de farao langsheen de rivier passeren. Hij droeg een doorzichtige rok van het fijnste linnen die tot aan zijn enkels reikte. Daarover hing een lendenschort in geweven gouddraad. Aan zijn gordel bengelde een stierenstaart, een teken van macht en vruchtbaarheid. Een brede kraag bedekte zijn schouders en op zijn hoofd prijkte de dubbele kroon die enkel hij en de goden mochten dragen. Op zijn voorhoofd was een gouden wijfjescobra bevestigd. Die slang beschermde hem en zou vuur spuwen naar iemand die hem durfde bedreigen.

Ramses zat kaarsrecht in zijn draagstoel. Hij werd gedragen

door acht paleisbeambten. Ernaast liepen waaierdragers die hem koelte toewuifden en dienaars die zwaaiden met bloemtuilen, zodat hij van de bloemgeur kon genieten. Achter de farao volgden zijn zonen. Iramoen hinkte met hen mee. Priesters zongen gezangen ter ere van de vruchtbaarheid die de rivier aan het land ging verlenen.

De optocht werd gesloten door hovelingen, ministers, tempeldienaars en magiërs. Helemaal vooraan kondigden trompetters de komst van de koning aan.

Aan de Nijl stonden Egyptenaren een paar rijen dik de stoet op te wachten.

Ramses genoot. Gedurende de vele jaren dat hij over Egypte regeerde, had de Nijl hem nog geen enkele keer in de steek gelaten. Ook nu beloofde de rivier hem een flinke overstroming. Zijn vijanden had hij eigenhandig verslagen en de grenzen waren veilig. Hij dankte de goden met alweer een nieuwe tempel. Het offer voor Min zou zorgen voor een goede toekomstige oogst. Onderdanen die genoeg te eten hebben, morren niet.

Op zijn doortocht stonden veel Hebreeërs, even nieuwsgierig als de Egyptenaren, om de farao en zijn hofhouding te zien. Een frisse wind waaide hen tegemoet, want de stoet naderde de Nijl.

Op een groot rotsblok naast het water stonden twee mannen, Mozes en Aäron. Toen de trompetters op hun hoogte kwamen, hief Mozes zijn staf met beide handen horizontaal boven het hoofd.

Het was of de wind op dat moment koeler werd.

Even was er beroering bij de muzikanten en een van de trompetters blies een valse noot. De priesters hielden op met zingen. De dragers wilden doorlopen, maar op een bevel van de farao bleven ze staan. Mozes gaf zijn staf aan Aäron en sprong van het rotsblok af. Hij liep naar de draagstoel van Ramses. Twee paleiswachten schoten naar voren om hem weg te jagen. Ramses riep hen terug.

De mannen die achter de farao volgden, drumden naar voren om te zien wat er gebeurde. Iramoen stond op de eerste rij. 'Wat wil je, Mozes?' vroeg de farao. 'Je bent als een vervelende vlieg die me stoort.'

'Majesteit,' zei Mozes, 'langs mijn mond spreekt tot u de god van de Hebreeërs. Hij vraagt met aandrang dat u de toelating geeft aan mijn mensen om hem in de woestijn een offer te brengen.'

'Voor een offer is het nu het juiste moment', antwoordde Ramses. 'Je hoeft niet tot in de woestijn te lopen. Jouw volk mag aansluiten bij de Egyptenaren. We zijn op weg naar de nieuwe tempel die jullie hielpen bouwen. Ga mee en offer ter ere van Min. We smeken om een goede oogst waarvan ook jullie profiteren.'

'Wij moeten een offer brengen aan onze god!' riep Mozes. 'Laat ons gaan!'

'Nee,' schudde Ramses zijn hoofd, 'niemand gaat zonder mijn toelating naar de woestijn.'

'Dan wordt Egypte gestraft. De nieuwe tempel werd gebouwd met Hebreeuws bloed. Daarom zal onze god zijn macht met bloed tonen!'

De paleiswachten trokken hun zwaarden, omdat ze een aanval op de farao vreesden.

Mozes deed een teken aan Aäron. Die hield de staf van zijn broer even horizontaal boven de Nijl en sloeg er dan keihard mee op het water. Er gebeurde niets en de stoet wilde zich weer in beweging zetten. Plotseling klonk een kreet van afgrijzen uit de samengestroomde menigte. Het Nijlwater veranderde van kleur. Langzaam werd het zo rood als bloed.

Een vreemde geur steeg op uit de rivier. De Egyptenaren wisten niet wat ze ervan moesten denken.

'Het water is ondrinkbaar en de vissen zullen sterven', zei Mozes.

Het gezicht van de farao trok krijtwit weg, omdat hij in het bijzijn van anderen die bedreiging moest aanhoren.

Een van de magiërs liep naar de farao en fluisterde hem wat in het oor. Ramses knikte.

Vlakbij lag een korte doodlopende zijarm van de Nijl waar het water nog zuiver was. De magiër sloeg een paar keren ritmisch met zijn staf op het water en ook daar kleurde het langzaam rood. Een zucht van opluchting ging door het volk. De macht van hun goden was even groot als die van de gekke Hebreeër. Ze juichten voor hun farao en de stoet zette zich weer in beweging.

Na de tempeldienst vroeg Ramses aan de magiërs: 'Wat heeft dat te betekenen? Hoe is het mogelijk dat een eenvoudige Hebreeër hetzelfde kan als jullie? Ik weet niet waarom ik je nog in dienst hou.'

'Majesteit,' boog de oudste, 'wat we hebben meegemaakt, was geen magie. Tijdens de overstromingen van de Nijl gebeurt het meer dat het water verkleurt, maar niet altijd zo uitgesproken, zo zichtbaar en zo rood als vandaag. Het heeft niets met bloed te maken. Mozes is niet alleen sluw, hij is ook verstandig. Hij weet best dat door de stank het water een zevental dagen ondrinkbaar zal zijn en dan is alles voorbij. De god van de Hebreeërs heeft er niets mee te maken.'

'Toch heeft hij indruk gemaakt, want hij wist op het juiste moment op het water te slaan.'

'Mozes had puur geluk, majesteit.'

Ramses was door die woorden enigszins gerustgesteld, al vond hij het voorval waarvan zoveel Egyptenaren getuige waren geweest, heel vervelend. Gelukkig had hij de Hebreeuwse leider geen toelating gegeven tot dat offer. Drie dagreizen ver de woestijn in! Als hij dat toestond, zouden ze natuurlijk niet meer terugkeren!

Iramoen, die het gesprek noteerde, vond dat de tovenaar er zich gemakkelijk vanaf maakte. Ieder jaar, vlak vóór de overstroming, veranderde het Nijlwater inderdaad meer of minder van kleur. Zo rood als bloed had hij het nooit meegemaakt! En Mozes had precies geweten wanneer hij zijn broer op het water moest laten slaan. Dat kon een gewone sterveling nooit weten. Als het puur geluk was, had hij een groot risico gelopen. Was er toen niets gebeurd, dan had hij flink voor aap gestaan.

In het kamp van de Hebreeërs won Mozes een paar aanhangers bij. Het water van de Nijl in bloed veranderen was niet niks. De magiër van de farao had het ook gekund, maar de Heer, hun god, had getoond dat hij minstens even sterk was. Misschien had Mozes gelijk en kon hij hen naar het beloofde land brengen.

De stad Piramese was in diepe duisternis gehuld. Slechts hier en daar brandde een olielampje. Ook bij nacht was de stad veilig. Straatrovers waren er niet. Wie zich toch in het donker aan een misdaad waagde, werd als straf de neus afgesneden.

Vanuit het paleis sloop iemand, gehuld in een lange kapmantel, naar de Hebreeuwse wijk. Het was onmogelijk te zien wie het was, want hij had de kap diep over zijn hoofd getrokken. De gestalte sleepte lichtjes het linkerbeen.

Iramoen wist feilloos de weg naar het huis van Aäron. Hij klopte aan en werd binnengelaten. Toen hij de kap van zijn mantel achteruit schoof, keek Mozes verbaasd op.

'Jij hier, Iramoen? Heeft de farao je gestuurd met een boodschap voor me?'

Nee, schudde de knaap zijn hoofd. Hij aarzelde, terwijl hij naar de juiste woorden zocht.

'Ik heb gezien wat je vandaag met het water van de Nijl deed.'

'Niet ik, mijn jongen. Het was onze god die mijn staf de kracht gaf.'

'En wie gaf de magiër de kracht om hetzelfde te doen?'

Mozes glimlachte om de rake opmerking van Iramoen. Hij hoorde ook de twijfel in zijn stem.

'Dat maakte deel uit van de weg die de god van onze voorouders volgt. Hij voorziet alles.'

'Hij moet een heel bijzondere god zijn', zei Iramoen. 'Mag ook ik hem aanbidden?'

Mozes legde zijn hand op de schouder van de knaap.

'Als je dat doet, moet je de Egyptische goden afvallig worden. Jij bent Egyptenaar, Iramoen. Leef volgens jouw geloof en vereer jouw goden. Wij, Hebreeërs, erkennen er maar één. Daarom moeten onze wegen scheiden. Als de farao weigert ons te laten gaan, zal Egypte helaas nog meer plagen ondergaan. Ga in vrede, jongen.'

Iramoen sloeg de kap weer over het hoofd. Net voor hij de deur opende, draaide hij zich om naar Mozes en zei: 'Er is een verrader in jullie midden. Hij komt de farao alles vertellen. Ik heb gehoord hoe hij Ramses op de hoogte bracht van jullie plannen. Zijn gezicht kon ik niet zien. Toen hij wegliep, leek het dat hij hobbelde.'

'Ook hij is onderdeel van het plan van onze god', mompelde Mozes. 'Ten gepasten tijde zal hij zijn lot ondergaan.'

Iramoen verdween, de nacht slorpte hem op.

Het Nijlwater overspoelde het land en zette het vruchtbare, donkere slib af. Deze keer ging het gepaard met een vervelende stank die vijf dagen aanhield. Zoals Mozes had voorspeld, stierven vele vissen, maar gelukkig was er met het slib niets aan de hand. De god van de vruchtbaarheid, Min, had zijn volk beschermd.

Op de zevende dag kreeg het water weer zijn gewone kleur. De artsen onderzochten het en verklaarden het drinkbaar. Toch raadden ze aan het enkel te drinken uit koperen kommen, wat de gezondheid ten goede zou komen.

Het leven in de stad en aan de rivier hernam zijn gewone gang. Het voorval raakte snel in de vergetelheid. De boeren moesten wachten tot het water zich terugtrok, dan konden ze zaaien. Een lange rusttijd brak aan.

Ramses zat een vergadering met architecten voor. Hij had hun veranderingswerken aan sommige tempels opgelegd en ze toonden hem de plannen. In het grote tempelcomplex van Karnak wilde hij twee kolossale beelden van zichzelf laten oprichten.

Dienaren brachten bier dat speciaal voor de koning was gebrouwen van de beste gerst. De drank was gegist in grote vaten en gezoet met dadels.

Nadat Ramses de plannen had goedgekeurd, liet hij een eenvoudige maaltijd opdienen met brood, uien, komkommers en fruit.

Hij stuurde de architecten weg en liep de tuin in. Het was heet! Op weg naar de zwemvijver liet hij zijn lendenschort vallen en liep naakt verder. Vóór hem op de weg zaten een paar kikkers. Ramses glimlachte. Alles was in orde met de Nijl. Zelfs de kikkers hadden goed gepaard. De kok had voor het avondmaal nijlbaars op het menu gezet.

De farao dook het water in en zwom met krachtige slagen naar de overkant. Hij voelde iets glibberigs langs zijn borst glijden, greep ernaar en had een kikker vast. Hij zwom verder en kreeg hoe langer hoe meer contact met kikkers. Er was geen enkele eend te zien en hij vroeg zich af waar die gebleven waren. Aan de rand van de vijver stak hij zijn armen uit om zich op de kant te trekken.

'Kwaak! Kwaak!'

Zijn handen gleden weg over spekgladde kikkerlijven en hij schoof weer het water in. Een tweede poging lukte en terwijl hij zich uit het water hees, voelde hij de kikkers over zijn lichaam kruipen. Overal zaten ze en ze wipten als gek door elkaar. Het wateroppervlak begon te trillen door de vele kikkerkoppen die te voorschijn kwamen.

'Bij de godin Heket met haar kikkerkop', gromde de farao en hij rende naar het paleis.

Twee keren gleed hij bijna uit toen hij op kikkers trapte.

'Kemwese!' riep hij.

Het hoofd van de paleisdienaars verscheen.

'De zwemvijver krioelt van de kikkers', zei Ramses. 'Doe er wat aan voor het een plaag wordt.'

'Het is al een plaag, majesteit', antwoordde Kemwese. 'Niet alleen de vijver zit vol, het hele paleis is ervan vergeven. Ze zitten tot in de keuken.'

Hij had gelijk. De kok sloeg met een pan naar de beesten, maar hoe meer hij er raakte, hoe meer er verschenen. De man werd er gek van.

Mozes, dacht Ramses.

Hij liep naar de Nijl die niet ver van het paleis stroomde. Twee paleiswachten die hem wilden vergezellen, stuurde hij terug. Mozes en Aäron zaten aan de oever. Toen ze de farao zagen, stonden ze recht en bogen het hoofd. Overal om hen heen hipten kikkers als bezetenen in het rond. Mozes wees ernaar.

'Onze god, vraagt uw aandacht, majesteit.'

'Hou op', gromde Ramses boos.

'Ik heb een opdracht, majesteit.'

'En ik laat jou opsluiten', dreigde de farao. 'Mijn geduld is niet eindeloos.'

'Mocht u dat doen, dan kiest onze god iemand anders om mijn plaats in te nemen. Hij eist met aandrang zijn offer in de woestijn.'

'Je weet dat ik het niet toesta.'

'Ook dat weet hij en daarom geeft hij een nieuw teken door het land te overspoelen met kikkers. Het ging hccl ccnvoudig. Aäron moest gewoon mijn staf boven het water houden.'

De farao grijnsde.

'Wees redelijk, Mozes. Dit is een flauwe grap. Iedere Egyptenaar weet dat in de tijd van de overstroming de kikkers zich voorplanten. Daar hebben jouw staf en jouw god niets mee te maken.'

'Waarover maakt u zich dan druk, majesteit?'

'De tekens van jouw god zijn wel heel doorzichtig. Ieder jaar zijn die kikkers er.'

'Hebt u al gezien hoeveel het er zijn, majesteit?'

Ramses had het gevoel dat ze weer over zijn huid kropen.

'Laat mc mct rust, je bent zo vervelend als een steekvlieg.'

Mozes vervolgde: 'Er zullen nog meer kikkers komen. Ontzettend veel, zoveel als sterren aan de hemel en enkel ik kan ze met de hulp van mijn god verdrijven. Laat ons roepen als het nodig is.'

Ramses draaide zich om en beende boos weg.

De daaropvolgende dagen kwamen er nog meer kikkers. In het begin vonden de kinderen het plezierig. Na een tijdje liepen ze er huilend van weg. Waar ze de vorige jaren alleen rondsprongen op de boorden van de Nijl, in poelen en vijvers en op de akkers, kropen ze nu tot in ieder huis. Hun gekwaak werd zo hevig dat geen mens nog een oog kon dichtdoen. 's Nachts kropen ze over de slapende Egyptenaren. In iedere keuken krioelde het van die beesten, zodat het bijna onmogelijk was eten klaar te maken. De moeders moesten de wiegen van hun baby's afdekken met gaas opdat de kikkers hun kleintjes niet zouden verstikken.

'Het is de tijd van het jaar, majesteit,' verzekerden de magiërs de farao, 'het heeft niets te betekenen. Mozes heeft er geen hand in, noch die god van hem. Hij maakt enkel gebruik van dit buitengewoon groot aantal kikkers om u te bedreigen. Ook wij kunnen zonder moeite kikkers oproepen.'

'Oproepen?' gierde Ramses. 'Jullie moeten ze laten verdwijnen! Hoe vlugger hoe liever! Het volk ziet er een onheilsboodschap van de goden in.'

'De natuur gaat zijn gang en heeft tijd nodig', zuchtte de oudste magiër. 'We zullen zien wat we kunnen doen.'

Ze slaagden er niet in de kikkers te laten verdwijnen. Integendeel, hun aantal groeide nog aan.

Iramoen moest, in opdracht van de farao, Mozes en Aäron op het paleis ontbieden. Ramses ontving hen zonder raadgevers of magiërs.

'Kun jij echt die beesten laten verdwijnen?' vroeg hij.

'Ik niet, mijn god wel', klonk het antwoord.

Ramses boog zich naar Mozes.

'Twee blokken goud als je er binnen de week in slaagt', beloofde hij.

'Mijn god is niet te koop, majesteit.'

'Je beweerde dat hij het kan. Zorg dat de kikkers verdwijnen. Dit is een bevel!'

'Mijn god laat zich niet bevelen. Dat doen uw goden ook

niet, majesteit. U vraagt hun ootmoedig bijstand en brengt hun offers. Als we in de woestijn voor onze god mogen offeren, zal hij barmhartig zijn.'

'Toegestaan.'

'Over een paar dagen is de hinderlijke last weg.'

'Dan ontbied ik je opnieuw op het paleis.'

'Een offer in de woestijn', droomde Aäron hardop toen de twee broers het paleis verlieten. 'Dat wordt een grote overwinning en het zal vele twijfelaars bij ons volk overtuigen.'

Mozes schudde zijn hoofd.

'Zo ver is het nog niet. De farao slikt vast zijn belofte in.'

Van die dag af verminderde zienderogen het aantal kikkers. Eerst verdwenen ze uit de huizen tot grote opluchting van de bewoners. Dan verdwenen ze uit de tuinen en de straten tot ze uiteindelijk enkel nog in vijvers, poelen en de Nijl voorkwamen.

Het voorval met de kikkers had de spanning in het paleis doen stijgen en Ramses overlegde met zijn raadgevers.

'Ik heb Mozes beloofd dat hij met de Hebreeërs een offer mag brengen wanneer de kikkers weg zijn. Dat is het geval. Wat nu?'

'U hoeft uw belofte niet na te komen, majesteit.' De oudste raadgever had het woord genomen.

'Een woord is een woord.'

'Mozes heeft u bedrogen. Hij mocht dat offer brengen wanneer hij ervoor zorgde dat de kikkers verdwenen. Ze zijn weg, maar wie zegt dat hij daarvoor heeft gezorgd? De kikkers zijn op een natuurlijke manier verdwenen. De beesten die in de huizen zaten, stierven bij gebrek aan aangepast voedsel. Zo gebeurde het ook met de kikkers in de straten. De natuur heeft haar werk gedaan. U bent Mozes tot niets verplicht. Zijn zogezegde god heeft er niets mee te maken.'

Ramses ging akkoord. Mozes werd niet ontboden op het paleis. Hij kreeg gelijk dat de farao zijn belofte zou inslikken. Al kwam er van een offer in de woestijn niets in huis, door het voorval met de kikkers kreeg Mozes weer wat meer aanhangers bij de Hebreeërs.

De farao was woedend toen hij dat vernam en gaf het bevel dat ze nog meer stenen moesten maken. Ditmaal gaven de Hebreeërs Mozes niet de schuld. Ze keerden zich tegen de farao en voelden zich hoe langer hoe meer zijn slaven.

Toen de stamvaders vergaderden, vroegen sommigen aan Mozes en Aäron wanneer ze uit Egypte gingen vertrekken. Ze vroegen het niet, ze eisten het en Mozes moest hun aanmanen rustig te blijven.

'De tijd is er nog niet rijp voor', zei hij. 'De Heer, onze god, zal de farao dwingen. Er komen nog meer plagen.'

Die bedreiging werd dezelfde nacht aan Ramses gemeld door Kenan, de kleinzoon van de blinde Gerson.

Ramses maakte zich het meest zorgen over de gewone Egyptenaren. Die begonnen zich vragen te stellen over de god van de Hebreeërs. Ze werden niet afvallig aan hun eigen goden en om hun gunstig te stemmen brachten ze zelfs meer offers dan voorheen, maar tegelijk zochten ze meer zekerheid en de verkoop van amuletten steeg met sprongen. Daarmee wilden ze zich beschermen tegen de Hebreeuwse god. Dit teken van zwakte verontrustte Ramses.

De farao lag naakt op zijn buik op een laag ligbed. Aan weerszijden knielden twee dienaressen die hem zachtjes insmeerden met pepermuntolie. Zijn hele lichaam zat onder de kleine rode vlekjes, muggenbeten.

Iedereen had eronder te lijden, ook de dienaressen die hem behandelden. Pepermuntolie hield muggen, vliegen en luizen op een afstand.

De muggen waren plotseling in grote zwermen opgedoken. In het begin had niemand er speciaal aandacht aan geschonken tot het hinderlijk werd. Het duurde niet lang of de voorraad pepermuntolie was uitgeput en het werd een kostbaar goedje dat alleen nog tegen woekerprijzen en stiekem verhandeld werd.

Er kwamen nog meer muggen. Hun gezoem maakte de mensen gek.

'Nog een van de naweeën van de bijzonder grote overstroming dit jaar', zeiden de magiërs vooraleer de farao hen tot de orde kon roepen. 'Er is meer water dan gewoonlijk in poelen en plassen blijven staan en dat zijn kweekplaatsen van muggen.'

'Doe er wat aan', beval Ramses.

Niets hielp.

Tijdens een vergadering vertelde Iramoen wat hij in de Hebreeuwse wijk over de muggenplaag had vernomen. 'De Hebreeërs zijn ervan overtuigd dat Mozes de muggen heeft opgeroepen, majesteit. En dat bazuinen ze overal uit.'

'Onzin', gromde de farao.

'Maar zij beweren dat ze het hebben gezien', vertelde Iramoen. 'Terwijl een grote groep Hebreeërs toekeek, zei Mozes tegen zijn broer Aäron dat die met zijn staf op de grond moest slaan. Door de slag waaide het stof op en ineens waren de muggen er.'

'Onmogelijk', argumenteerden de magiërs. 'Zoiets kunnen wij niet en dan slaagt ook hij er niet in.'

De hoofdpriester van Memphis, die net bij de farao op bezoek was, zei: 'Ik zou me niet ongerust maken, majesteit. Vorig jaar hadden wij na de oogst in Memphis een grote mussenplaag. Ze maakten het leven haast onmogelijk. Even plots als de vogels waren gekomen, verdwenen ze weer en een week later werd er niet meer over gesproken.'

'Mozes speelt in op de onwetendheid van de domme Hebreeërs', verzekerden de raadgevers de farao.

Er bleef niets anders over dan de vervelende plaag te ondergaan en intussen krabde iedereen zich te pletter als gevolg van de venijnige beten. Even overwoog Ramses om Mozes te ontbieden. Toch besloot hij het niet te doen. Het zou een gebaar van zwakte zijn. Trouwens, wie kon van stof muggen maken?

Voor alle zekerheid liet hij een speciaal offer brengen aan de halfgod Bes en dat scheen te helpen. Langzaam verdwenen de muggen en Ramses slaakte een zucht van verlichting. Maar toen de laatste mug verdwenen was, verscheen de eerste steekvlieg. Ze viel niet direct op tot er meer en meer kwamen. Vervelende beesten! Ze staken mens en dier en zogen bloed. Daardoor brachten ze ziekten over en in sommige gevallen leidde dat tot blindheid.

In het begin konden de artsen het aantal zieken gemakkelijk behandelen, maar er kwamen er zoveel dat het onrustwekkend werd.

Op sommige plaatsen zagen muren en daken zwart van de steekvliegen. Vele Egyptenaren durfden niet meer naar buiten te komen. Het hielp hun niets, want de diertjes kropen langs spleten en kleine openingen naar binnen.

Aäron speelde handig in op die plaag. Hij bezocht de Hebreeuwse families, sprak met de stamvaders, en benadrukte iedere keer weer hoe groot de macht van de Heer hun god wel was, dat hij muggen en steekvliegen had gestuurd om de Egyptenaren te straffen voor de koppigheid van de farao. En weer waren meer Hebreeërs geneigd om Mozes te volgen. Kenan, de Hebreeuwse spion, zorgde ervoor dat de farao van die aangroei op de hoogte werd gebracht.

Mozes groeide in de ogen van de farao uit tot een echt gevaar voor Egypte. Magiërs schilderden zijn beeltenis op aarden borden die ze in de tempel aan stukken gooiden. Dat zou de macht van Mozes breken, beweerden ze. Het maakte op Ramses niet de minste indruk, want hij kreeg nog andere onplezierige berichten te horen. Over Egyptenaren die twijfelden aan de goddelijke kracht van de farao en die vreesden dat hij hen niet langer kon beschermen. Het begon met hier en daar een zinspeling tot er vrij algemeen over gesproken werd.

Ramses voelde dat hij moest ingrijpen en hij ontbood zijn raadgevers, de astrologen en de hoofdpriesters van de voornaamste tempels uit het land.

'De plagen van de laatste maanden worden door de Egyptenaren ervaren als slechte voortekenen', zei hij.

'Ze zijn allemaal op natuurlijke wijze te verklaren', beweerden de magiërs.

'Het stond in de sterren te lezen', knikten de astrologen.

'Er wordt gefluisterd dat mijn kracht als farao en godenzoon afneemt', gromde Ramses. 'Ik moet mijn volk het bewijs leveren dat het niet zo is.'

'Een plechtigheid van uw wedergeboorte in de tempel kan helpen', stelden de hoofdpriesters voor. 'U, als farao, toont het volk de symbolen van uw macht, gevolgd door groot feest met gratis drank en voedsel.'

'We kunnen het ons permitteren', zei het hoofd van de voorraadschuren. 'Er is reserve genoeg.'

Ramses dacht even na over dat voorstel.

'Een wedergeboorte maakt geen indruk op de Hebreeërs en zij zijn de onruststokers. Ik ga een leeuw doden.'

De stilte die viel na die aankondiging werd verbroken door een van de raadgevers die opmerkte: 'Eigenhandig een leeuw doden is een oud gebruik dat vroeger door de farao werd gedaan om zijn kracht te tonen. U bent al vele jaren aan de macht, en…'

'En je bedoelt dat ik er te oud voor ben', onderbrak Ramses hem. 'Dat heb je dan mis. Morgen vertrek ik met vier lijfwachten die als getuigen het doden van de leeuw zullen bijwonen. Intussen is het jullie taak het bericht te verspreiden dat de onoverwinnelijke farao van Egypte op leeuwenjacht is.'

Toen de raadgever opnieuw het woord wilde nemen om te protesteren, hief Ramses zijn hand op.

'Mijn besluit wordt niet tegengesproken. Ga!'

De volgende morgen verlieten drie strijdwagens het koninklijk paleis. Ramses mende zelf een van de wagens. Hij droeg een panterhuid met daarover een lederen lendenschort. Aan zijn riem hing een kort tweesnijdend zwaard. Aan een steun van de strijdwagen was een lange speer bevestigd.

Toen ze langs de Nijl reden, zag hij Mozes en Aäron staan en hij hield de paarden in.

'Veel geluk, majesteit', wenste Mozes hem toe, terwijl hij het hoofd boog. 'Ik bid dat u veilig weer thuiskomt. Onze god heeft het niet nodig op die manier zijn kracht te tonen.'

Ramses liet nijdig de zweep knallen en reed de stad uit, de uitgestrekte woestijn in.

Een week ging voorbij zonder enig nieuws. Het gonsde in Piramese van de geruchten. Er werd zelfs geopperd dat de farao dood was, verscheurd door de leeuw die hij had willen doden. In de stad patrouilleerden meer soldaten dan gewoonlijk om een eventuele opstand de kop in te drukken. De vizier en de raadgevers vergaderden iedere dag.

Op de achtste dag reden de vier lijfwachten de stad in en verkondigden overal de boodschap: 'De farao is onderweg!'

Iedereen repte zich de straat op en keek vol bewondering naar Ramses die stapvoets door Piramese reed. Over de rand van zijn strijdwagen hing een dode, reusachtige leeuw. De staart van het beest had hij afgesneden en die bengelde nu aan zijn lendenschort. De farao zat van kop tot teen onder het geronnen bloed. Het was een vreselijke aanblik.

Het volk volgde hem naar het paleis waar iedereen samentroepte op het plein vóór het gebouw.

Binnen het halfuur wist iedereen hoe de leeuwenjacht was verlopen. In een oase hadden de lijfwachten een leeuw ontdekt en ze hadden hem in de richting van de farao gejaagd. Toen die het beest op zijn speer wilde spietsen, was het wapen gebroken. De leeuw was toen op Ramses gesprongen die zonder één moment te aarzelen zijn zwaard had getrokken. Terwijl hij onder het gewicht van het dier tegen de grond werd gedrukt, had hij de buik van de leeuw met één haal opengesneden. Het bloed van het beest was over hem heen gelopen.

Op de eerste verdieping van het koninklijk paleis was een groot raam: het verschijningsvenster. Slechts in uitzonderlijke gevallen vertoonde de farao zich daar. Deze gelegenheid mocht hij niet laten voorbijgaan.

Ramses verscheen met de gedode leeuw aan het venster en onmiddellijk steeg een enorm gejuich op uit de verzamelde menigte. Degenen die het meest aan zijn kracht hadden getwijfeld, brulden nu het hardst zijn lof.

Ramses zwaaide met de leeuwenstaart en lachte naar zijn volk. Zijn onderdanen joelden en riepen dat hij een sterke godenzoon was die hun bescherming bood, de farao die het land regeerde en hen behoedde tegen alle onheil.

De lach bevroor op het gelaat van de farao toen hij Mozes en Aäron in de menigte zag. De Hebreeuwse leider stak langzaam zijn staf omhoog. Het betekende meer dan een groet.

's Anderendaags liet Ramses hen allebei naar het paleis komen. De ontmoeting gebeurde weer privé, enkel de farao, Mozes en Aäron. Mozes had zijn staf niet meegebracht.

'Waarom bedreigde jij me gisteren met je staf, terwijl ik mijn leeuw toonde?' vroeg de farao.

'Het was geen bedreiging, wel een teken dat de Heer onze god veel krachtiger is dan een leeuw', antwoordde Mozes. 'En ik wilde Zijne Majesteit herinneren aan zijn belofte.'

'Jij wilt dus altijd nog een offer brengen aan die god van je?' vroeg de farao.

'Ik ben het niet die dat wil. Het is onze god die het van me eist.'

Ramses voelde zich sterk en goedgemutst. Hij zei: 'Ik zal het offer toestaan en jullie een plaats toewijzen in Egypte waar het kan plaatsgrijpen.'

'Majesteit,' Mozes spreidde zijn beide armen wijd open, 'dat voorstel kunnen we onmogelijk aanvaarden. Veel Egyptische goden hebben de gedaante van dieren en daarom offeren jullie voor hen plantaardige producten. Wij, Hebreeërs, offeren voor onze god runderen en kleinvee. Als de Egyptenaren zien dat wij dieren slachten die op hun goden gelijken, zullen ze dat niet prettig vinden. De kans is groot dat ze ertegen in opstand komen en ons willen stenigen. We kunnen ons offer daarom beter brengen in alle stilte, een eind weg in de woestijn. Drie dagreizen ver volstaat.'

'Nooit', gromde Ramses.

Mozes boog het hoofd en prevelde: 'Dan zal de Heer, onze god, het vee van Egypte treffen.'

'Grootspraak,' schamperde de farao, 'die god van jou overtreft geen farao die eigenhandig een leeuw doodde.'

'U zult mij laten roepen', voorspelde Mozes.

Mozes' bedreiging maakte Ramses onrustig. Hij ijsbeerde door zijn paleis. Alle voorspellingen van Mozes waren uitgekomen. Misschien was een leeuw doden niet voldoende geweest en moest hij een orakel raadplegen.

Een rit in de natuur zou hem tot rust brengen.

De farao mende weer eigenhandig zijn wagen die door twee paarden werd getrokken. In volle vaart reed hij de stad uit. Hij had geweigerd zich door lijfwachten of soldaten te laten begeleiden. Woede zinderde door zijn lichaam omdat een gewone Hebreeuwse bouwvakker het had gewaagd hem, de farao van Egypte, de zoon van de goden, uit te dagen.

Sedert zijn laatste veldslag droeg hij sandalen met op de zolen de afbeelding van zijn vijanden, de Hettieten. Zo kon hij hen bij iedere stap telkens weer symbolisch verpletteren. In alle stilte had Ramses een stel sandalen laten vervaardigen met op iedere zool de beeltenis van Mozes. Hij trappelde ermee van boosheid op de bodem van zijn wagen.

In de prachtige natuur van Egypte verdween zijn woede en maakte plaats voor kalmte. Hij liet de paarden rustig stappen en genoot van het uitzicht over de vruchtbare velden.

De goden waren met hem, want boven zijn wagen vloog een valk met hem mee. Dat kon enkel de god Horus zijn, de heerser van het luchtruim. Ramses haalde diep adem en stak in een groet zijn arm op naar de vogel.

Misschien was het Horus geweest die hem de kracht had gegeven om een leeuw te doden. Nu moest die hem bijstaan om die ene Hebreeuwse god te verpletteren. Lang geen gemakkelijke taak, want Mozes en zijn broer waren de vertegenwoordigers van die god, vijanden dus. Een andere vijand kon hij in de gevangenis opsluiten of doden. Met Mozes en Aäron zou dat een slechte tactiek zijn. Mocht hij het doen, dan kon dat tot een opstand van de Hebreeërs leiden. Hij had hen nodig voor de bouw van zijn tempels. Taaie kerels waren het. Ze morden wel tegen zijn verordeningen, maar ze leverden prachtig werk.

Ook voor de reactie van zijn eigen volk moest hij uitkijken. Iramoen had hem verteld dat Mozes bij veel Egyptenaren respect afdwong. Gooide hij de Hebreeuwse leider in de gevangenis, dan kon dat door zijn eigen mensen worden uitgelegd als een teken van machteloosheid en hij had nog maar pas hun vertrouwen herwonnen. Nee, hij moest het voorzichtig aanpakken.

Tegelijk met zijn sombere gedachten veranderde ook de natuur om hem heen.

Er schoof een wolk voor de zon en plotseling was de valk verdwenen. Het landschap kreeg een andere kleur en ademde kilte uit. Ramses rilde.

Ook de paarden voelden de ommekeer en briesten luid, terwijl ze heftig met hun kop schudden. Vlokken speekselschuim vlogen in het rond.

Een eind verder zag de farao naast de weg een boer in het veld. Hij kwam op gelijke hoogte met de man en zag naast de boer een paar dode geiten en het kadaver van een ezel liggen. De farao trok aan de teugels en zijn paarden stonden stil. Hij stapte uit de wagen en liep naar de boer die verbijsterd en met tranen in de ogen naar zijn dode dieren stond te kijken. Ineens herkende de man zijn farao. De boer viel op zijn knieën en kuste de grond voor de voeten van Ramses. Hij durfde pas opkijken toen zijn farao hem daarvoor de toelating gaf.

'Wat is hier gebeurd?'

'Tot voor vier dagen liepen mijn geiten en mijn ezel gezond rond. Toen werden ze ziek en voor ik iets kon ondernemen, waren ze dood. Ook bij mijn buren stierven paarden, kamelen, geiten, ezels, schapen en koeien. Alle dieren werden getroffen. Ze zeggen dat het vee van de Hebreeërs gespaard blijft en dat hun dieren in blakende gezondheid zijn. Ik weet niet wat ik moet beginnen. Zonder dieren heb ik niets. De goden hebben me in de steek gelaten.'

Die laatste zin was een steek in het hart van de farao.

Vier dagen, dacht Ramses. Vier dagen geleden toonde ik de dode leeuw in het verschijningsvenster. Vier dagen geleden hief Mozes zijn staf naar me op. Hij stapte in zijn wagen en reed ijlings terug naar de stad.

Terwijl de stalmeester zich over de paarden ontfermde, kwam de vizier uit het paleis gelopen.

'Slecht nieuws, majesteit.'

Ramses beende boos naar binnen. De vizier dribbelde achter hem aan.

'We krijgen de ene melding na de andere binnen van boeren met dood vee. Ik heb onmiddellijk de hoofdartsen en de dierendokters ontboden en hen opgedragen een onderzoek in te stellen om te bepalen welke maatregelen we kunnen nemen. Het is een epidemie zoals we er nooit tevoren een kenden.'

De farao zag in gedachten de radeloze boer weer bij zijn dode geiten en zijn dode ezel en hij hoorde hem zeggen: 'De goden hebben me in de steek gelaten.' Hij zei niets over zijn ontmoeting met de man.

'Kent men al een oorzaak voor de dood van die beesten?' vroeg hij.

'Ik verwacht de rapporten van de dierendokters.'

De vergaderruimte werd in orde gebracht en Iramoen kreeg opdracht alles nauwkeurig te noteren. Het duurde nog tot de vroege avond vooraleer alle inlichtingen waren verzameld. Met een grimmig gezicht aanhoorde Ramses wat de dokters hem vertelden.

'Eerst het goede nieuws', meldde een van zijn artsen. 'De ziekte die onder het vee is losgebroken, vormt geen enkel gevaar voor mensen.'

Daarop nam het hoofd van de dierendokters het woord.

'De grote sterfte van het vee kent een natuurlijke verklaring.'

De farao schoof ongemakkelijk in zijn zetel. Hij had het moeilijk om niet in woede uit te barsten. Na iedere plaag had hij het woord *natuurlijk* te horen gekregen.

Het was *natuurlijk* geweest dat het water van de Nijl rood kleurde en ondrinkbaar werd.

Het was *natuurlijk* geweest dat kikkers het normale leven onmogelijk maakten.

Het was *natuurlijk* geweest dat zwermen muggen opdoken en even *natuurlijk* was het geweest dat steekvliegen beletten dat men naar buiten kwam.

'Steekvliegen...', hoorde hij.

Omdat hij even met zijn gedachten was afgedwaald, had hij de verklaring van de dierendokter niet gevolgd.

'Herhaal', gebood hij.

'Het is de schuld van de steekvliegen. Zij hebben de ziekte

onder het vee gebracht. Het duurde even voor die in volle hevigheid uitbrak. En toen gebeurde het zo snel dat er paniek uitbrak.'

Dat klonk redelijk.

Ramses zag weer de boer bij zijn dode dieren.

'Ik heb vernomen dat het vee van de Hebreeërs gespaard bleef van de ziekte', zei hij. 'Is ook daar een natuurlijke verklaring voor?'

Op die vraag kreeg hij antwoord van de vizier.

'Het grootste deel van de Hebreeërs heeft geen vee, majesteit. Daarom is de schade groter bij onze eigen boeren. De dienaars die ik er op uit gestuurd heb om inlichtingen te verzamelen, verzekerden me ook dat Hebreeërs met vee werden getroffen. Van hun leiders kregen ze het bevel dat verborgen te houden. Daardoor zou het lijken dat enkel Egyptenaren werden getroffen. Mozes en Aäron gebruiken deze veeziekte om onrust te zaaien.'

Ook dat klonk redelijk.

'De getroffen Egyptische boeren worden vergoed', besliste de farao. 'Hebreeërs moeten niet op een tussenkomst rekenen. Hun leiders zeggen immers dat ze niet getroffen werden. Egyptenaren die verlies leden, moeten aangifte doen van de schade die ze leden. Wie een valse aangifte doet, wordt meteen verbannen naar de kopermijnen.'

Zijn raadgevers vonden het een wijze beslissing.

Toen hij alleen was, hoorde Ramses de woorden van Mozes: 'U zult mij laten roepen.'

'Dat denk je maar', mompelde hij. 'Vanaf nu ken ik je niet eens meer. Ik doe alsof je niet bestaat en voor iedere plaag van die zogezegde god van je vind ik een oplossing.'

Die nacht had de farao slaapproblemen. In zijn dromen zag hij de god van de Hebreeërs in verschillende gedaanten, de ene al schrikwekkender dan de andere. Telkens weer werd hij badend in zijn zweet wakker.

Een volledig zwart schip met donkere zeilen voer met grote snelheid stroomopwaarts. Werd de wind te zwak, dan sprongen roeiers bij om geen vaart te minderen. De bewoners op de oevers die het zagen voorbijvaren, meenden dat het een van de snelle koerierschepen was. Die brachten geregeld boodschappen van Piramese tot in het diepe zuiden.

Niemand kon vermoeden dat farao Ramses aan boord was. Hij vertoonde zich slechts af en toe op het dek. Het grootste gedeelte van de reis bestudeerde hij papyrusrollen die Iramoen voor hem had moeten uitzoeken.

Ook de knaap was aan boord en hij genoot met volle teugen van de reis. Voor het eerst zou hij de grote piramides zien op de vlakte van Gizeh. Ze waren in een ver verleden gebouwd door voorgangers van de huidige farao. Er werden aan de bouwwerken geheimzinnige krachten toegeschreven.

Op de tweede dag van de reis naderden ze tegen valavond hun bestemming.

Iramoen stond op de voorplecht van het schip met open mond te kijken naar de drie grote piramides van de farao's Cheops, Chefren en Mykerinos. De ondergaande zon deed de gouden top van de hoogste piramide, die van Cheops, schitteren als een reusachtige ster.

Ramses kwam naast hem staan en legde zijn hand op de schouder van de knaap.

'In die piramide ga ik bij mijn vader nieuwe ka, levenskracht en energie, opdoen om die daarna door te geven aan mijn volk dat geplaagd wordt.'

Iramoen begreep het niet. Seti, Ramses' vader, was al lang dood. Zijn graf lag op de westelijke Nijloever tegenover het tempelcomplex van Karnak. Wat kwam Ramses hier bij de piramides doen? De farao voelde dat de knaap hem niet begreep. Hij wees naar de zon die als een bloedrode bol op het punt stond achter de piramides weg te zakken.

'Kijk, jongen. Iedere avond slikt godin Noet de zon in en morgenvroeg zal ze haar opnieuw baren om een nieuwe dag geboren te laten worden. Haar zoon Osiris is mijn goddelijke vader. Hij is het die mijn levenskracht en energie kan opladen.'

Nu wist Iramoen dat de farao sprak als zoon van de goden. Hij hoorde het verlangen in de stem van de koning om na de voorbije plagen nieuwe kracht op te doen.

'Onderin de piramide van mijn voorganger Cheops, bevindt zich een geheime ruimte met het beeld van Osiris. Die heilige plaats is voorbehouden aan de farao. Brengt die daar de nacht door, dan slaat hij nieuwe energie op om het land in goede banen te leiden. Dat is nodig in deze moeilijke tijden, nu Egypte zo geplaagd wordt. Denk daaraan, mocht je ooit aan mij twijfelen.'

Iramoen voelde zich ongemakkelijk. Hij had de laatste maanden verscheidene keren getwijfeld aan de kracht van de goden en aan de macht van de farao na al de plagen die het land hadden getroffen. Kon Ramses soms gedachten lezen?

De boot meerde in volledige stilte aan. Geen ontvangstcomité stond de farao op te wachten. Toen de zon volledig was opgeslokt door Noet verlieten vier lijfwachten, Iramoen en de farao het schip. Ze liepen met rustige passen naar de grote sfinx, een reusachtig stenen beeld van een liggende leeuw met een mannenhoofd, die de piramide van Cheops bewaakte. In het maanlicht zag hij er angstaanjagend uit en Iramoen keek met ontzag naar hem op.

Vanuit het duister tussen de twee voorpoten van de sfinx verscheen een dodenpriester met kaalgeschoren hoofd. Hij droeg een masker van een jakhalzenkop om Anoebis voor te stellen, de god die de afgestorvenen naar het dodenrijk vergezelt. Iramoen huiverde. De priester gooide zich voor de farao op de grond en hij bleef onbeweeglijk liggen tot Ramses hem op de rug tikte.

De vier lijfwachten en Iramoen kregen het bevel de wacht te houden bij de sfinx. De farao en de dodenpriester met de jakhalzenkop verdwenen achter het beeld. Ze spraken geen woord.

De dodenpriester opende een klein stenen valluik dat toegang bood tot een donkere ruimte. Ramses daalde af in het gat en de priester reikte hem een olielamp aan. Boven het hoofd van de farao klapte het valluik dicht en de dodenpriester ging er als een waakhond bovenop zitten.

Met de olielamp in de hand liep Ramses gebukt door een lange gang die naar de geheime kamer onderin de grote piramide leidde.

In het midden van het onderaardse vertrek stond een levensgroot beeld van Osiris. De god was afgebeeld als een man die tot aan de hals in een stevig gewaad was gewikkeld, zoals een mummie. Op het hoofd droeg hij een witte kroon met aan beide zijden pluimen. In zijn linkerhand hield hij een scepter en in de rechter een gesel, de koninklijke emblemen.

Ramses ging languit voor het beeld op de grond liggen. Hij verroerde geen vin. Zijn gedachten gingen naar de plagen die zijn land hadden overspoeld, naar de dreiging van de Hebreeuwse god, naar zijn volk en de twijfels die velen in hun hart droegen, naar de angst...

Hij bad Osiris om de nodige energie. Zijn lichaam begon te tintelen, langzaam voelde hij hoe zijn levenskracht met de hulp van Osiris werd opgeladen. Het zou de hele nacht duren en hij raakte in trance.

Buiten hielden de lijfwachten in groepjes van twee de wacht. Het grootste gedeelte van de nacht bleef Iramoen wakker. Hij keek naar de sterren en naar de silhouetten van de piramides.

Zou de god van de Hebreeërs ook zo'n monumenten kunnen bouwen? vroeg hij zich af. Had Mozes in zo'n monument misschien ooit bovennatuurlijke krachten opgedaan?

Hij hoopte dat zijn farao voldoende levenskracht en goddelijke energie zou ontvangen om de strijd tegen die vreemde god te winnen.

Met een zacht sissend geluid doofde in de geheime kamer de olielamp uit. Ramses ontwaakte uit de trance, pakte de lamp op en liep terug door de lange gang, terwijl hij met zijn ene hand tastend de weg zocht tot aan het stenen valluik. Hij hoefde niet te kloppen. De dodenpriester wist dat hij er aankwam en opende het luik.

Op het ogenblik dat Ramses naar buiten klom, priemden de eerste zonnestralen boven de horizon uit. De godin Noet had de zon gebaard en die deed het water van de Nijl glinsteren. Zonder omkijken liep de farao naar het schip, ging aan boord en gaf het bevel onmiddellijk te vertrekken. De volgende dag bereikten ze Piramese.

Buiten de vizier wist niemand dat de farao vier dagen was weggeweest. Iramoen moest het verslag van de reis noteren en de papyrusrol opbergen in een leren koker die Ramses eigenhandig verzegelde. De rol werd opgeborgen in een rijkversierde kist bij andere geheime documenten.

De farao gaf een groot feest in het paleis. Alle hoogwaardigheidsbekleders die in Piramese, Karnak en Memphis een functie uitoefenden, waren uitgenodigd.

Het feest vond plaats in de grote zuilenzaal. Voor de gelegenheid was ze getooid met jasmijnslingers en reusachtige bloemtuilen.

De koks hadden hun handen vol en de hele dag geurde het heerlijk naar gebraden rund- en ganzenvlees. Het hoofd van de koninklijke wijnvoorraad had kruiken uitgezocht met op het etiket: 'Uit het jaar 5 van Seti, kwaliteit viermaal goed. Wijnstok uit de tempel van Amenofis in Thebe.' Voor de oudste gasten stonden stoelen klaar, de jongeren konden plaatsnemen op rijkversierde kussens.

Op het plein vóór het paleis vergaapten de inwoners van de stad zich aan de pracht en de praal van de gasten die vanuit hun koetsen over een lange rode loper het paleis in liepen. Daar maakten ze een na een hun opwachting bij de farao die op een met goud belegde troon zat onder een hemel van pauwenveren.

Rijke vrouwen die het zich konden permitteren, droegen pruiken van echt mensenhaar. De anderen behielpen zich met pruiken van schapenwol. Hun wenkbrauwen en oogleden hadden ze beschilderd, zodat die groter leken. Hun lippen waren met henna geaccentueerd. De mannen hadden een feestelijke lendenschort aangetrokken. Dienstmeisjes hingen iedereen bij het binnenkomen een bloemenkrans om. De dames kregen een geparfumeerd zalfkegeltje op het hoofd gezet. Door de lichaamswarmte loste dat op en verspreidde een zoete geur. Op albasten borden droegen dienaars de fijnste spijzen aan. Wijn en bier werden geschonken in geglazuurde aardewerken kommen.

Ramses hield een korte toespraak waarin hij de lof zong van de Nijl die met zijn donkere slib van Egypte weer eens een grote vruchtbare akker had gemaakt.

Tijdens de maaltijd zorgden muzikanten met harpen, fluiten en tamboerijnen voor rustige muziek.

Terwijl het feest aan de gang was, ging de farao zich even vertonen aan het verschijningsvenster. Hij groette minzaam de Eyptenaren die steeds nog op het plein stonden. Ze juichten hem toe en hij voelde zich beresterk... tot hij in een hoek van het plein Mozes en Aäron zag staan. Gewoon door hun aanwezigheid straalden de Hebreeërs dreiging uit. Ze gooiden iets in de lucht wat op stof leek.

Vreemd!

Ramses vroeg zich af wat dat weer te betekenen had, probeerde er niet aan te denken en liep terug naar de feestvierders. Diep in hem bleef iets knagen.

Een week later maakte de vizier zijn opwachting bij de farao. Zijn gezicht voorspelde niets goeds.

'Wat scheelt er?' vroeg Ramses. 'Je kijkt zo bedrukt.'

'Er is iets raars aan de gang, majesteit.'

'Zeg op.'

'De dag na het feest meldden zich een paar Egyptenaren in het ziekenhuis met nijlpuisten. Ze kregen een behandeling en er werd verder geen aandacht aan gegeven tot er zich vrij vlug meer patiënten met zweren aanboden. Het groeit uit tot een epidemie.'

'Weten de artsen hoe het komt?'

'Ze onderzoeken volop de verschijnselen. De patiënten hebben zweren met blaasjes.'

'De oorzaak?' drong Ramses aan.

De vizier aarzelde.

'Dat weten ze nog niet. Er doen wel wilde geruchten de ronde.'

Ramses kneep zijn lippen samen tot ze een smalle streep vormden.

'Geruchten?'

De Hebreeërs vertellen aan iedereen die het horen wil dat Mozes en Aäron roet uit een oven in de lucht gooiden. Het roet verspreidde zich en zou de verzweringen hebben veroorzaakt. Het zou gebeurd zijn terwijl u aan het verschijningsvenster stond. We kunnen de twee leiders oppakken.'

'Neen,' zei de farao, 'wanneer we hen aanhouden, denkt iedereen dat ze tot zoiets in staat zijn en dan krijgen ze nog meer macht. We zwijgen het dood. Laat de artsen maar een reden verzinnen die logisch klinkt. Roep de magiërs!'

De vizier aarzelde om het bevel uit te voeren.

'Wel!'

'Ze kunnen niet komen, majesteit. Ze zitten allemaal onder de zweren.'

Van Kenan, de Hebreeuwse spion, vernam de farao dat de Hebreeërs hoe langer hoe meer een hechte groep vormden. De twijfelaars van vroeger waren de vurigste aanhangers van Mozes geworden. Door de zwaarder geworden werkomstandigheden op de bouwwerven stelden ze hun hoop op een beter leven buiten Egypte. Hebreeuwse stamvaders hadden oude, onderlinge ruzies bijgelegd. De rust en de zelfzekerheid die Mozes uitstraalde, gaf hun de moed en het geduld te wachten tot de tijd van vertrek zou aanbreken. Sommigen zeiden dat het nog lang kon duren en dat zij het niet meer zouden meemaken. Enkel een paar Hebreeërs die goedbetaalde posten bekleedden, bleven nog onverschillig voor de boodschap.

Ramses trok zich op aan de gedachte dat hij door zijn nieuwe energie en levenskracht het volle vertrouwen van zijn volk had gewonnen. Zo leek het althans. Naar buiten toe deden de Egyptenaren of er geen vuiltje aan de lucht was. In de besloten kring van hun eigen huis mopperden ze over de groeiende arrogante houding van de Hebreeërs. Ze wisten niet hoe ze daarop moesten reageren, ze voelden zich onzeker en in de steek gelaten door hun eigen goden.

De amuletverkopers deden gouden zaken.

Mozes liep voorbij de tempel van Amon toen Iramoen net naar buiten kwam met een papyrusrol onder zijn arm. Ze liepen bijna tegen elkaar op. Beiden bleven ze staan.

'Mozes, de raadgevers van de farao zijn in opperste staat van verwarring. Steeds opnieuw beweren ze bij hoog en bij laag dat de plagen van de voorbije maanden allemaal een natuurlijke oorzaak hebben, maar tegelijk weten ze dat veel Egyptenaren er een andere mening op nahouden. Die denken dat hun goden voor jou moeten buigen, wat ze natuurlijk niet hardop durven zeggen. Het maakt ook mij bang. Waarom doe je dat?'

'Ik doe niets, Iramoen. Het is de god van de Hebreeërs die reageert op de koppigheid van de farao. Ramses weigert nog steeds om ons een offer te laten brengen in de woestijn. Hij moet ons laten gaan.'

'Ramses heeft gezworen dat het nooit zal gebeuren.'

'Dan zal de Heer, onze god, opnieuw tonen wie de sterkste is. Zeg de farao dat het morgen zal hagelen. Zo zwaar als nog nooit in Egypte is gebeurd. Alles wat buiten staat, mens of dier, zal door de hagel worden gedood. Wie verstandig is, brengt zijn dieren in veiligheid, zoals mijn volk zal doen.' Iramoen rende zo vlug zijn manke been het toeliet naar het paleis, waar de farao met de beheerders van de kanalen vergaderde over een nieuw aan te leggen waterreservoir. De knaap vertelde Ramses over zijn toevallige ontmoeting met Mozes en over de nieuwe bedreiging.

Ramses voelde zich zodanig gesterkt door zijn opgeladen energie dat hij de bedreiging van Mozes niet ernstig nam.

'Hagel', schamperde hij. 'Ik kan op mijn één hand tellen hoe dikwijls het in Egypte heeft gehageld en dat stelde niets voor. En de kracht waarover Mozes het heeft, is totaal onbestaande.'

'De Hebreeërs brengen op aanraden van Mozes hun dieren naar binnen, majesteit', zei Iramoen.

'Mijn vee blijft buiten, dat is een bevel', gromde Ramses. Een diepe rimpel in zijn voorhoofd verraadde enige twijfel over die beslissing.

Voor alle zekerheid stuurde hij weervoorspellers naar het dak van het paleis om de nodige metingen uit te voeren. Ze konden niets abnormaals waarnemen.

Het gerucht van een hevige hagelbui verspreidde zich snel en de meeste hovelingen namen het zekere voor het onzekere. Ze spoedden zich naar huis en gaven hun dienaren het bevel om alle dieren, groot en klein, op te sluiten.

De volgende middag stak een felle wind op, de lucht kreeg een vreemde kleur. Boven de Nijl klonk met tussenpozen een zacht gerommel. De dieren in de vrije natuur waren de eersten die onraad roken en een veilige schuilplaats zochten. Geen enkele vogel liet zich nog zien of horen. Slangen zochten ijlings hun holen op en de schorpioenen kropen onder de bescherming van dikke stenen. De bloeiende waterlelies sloten hun bloemkelken. Alle normale natuurgeluiden stierven uit. Het gerommel werd angstaanjagend.

Plotseling schoten felle bliksemschichten door de lucht. Ze werden gevolgd door hevige donderknallen. De felle wind zwol nog aan in kracht en zwiepte het Nijlwater op tot hoge golven. Jonge palmbomen langsheen de lanen bogen onder de kracht van de wind tot bijna tegen de grond. Hier en daar kraakte een minder soepele boom middendoor. Wie nog buiten was, liep zo snel hij kon naar huis om beschutting te zoeken. Zo plots als hij was opgestoken, ging de wind ook liggen, de donder stierf uit en geen enkele bliksem doorkliefde nog de lucht. De natuur leek zich te herstellen. En toen viel de hagel. Het begon met kleine tikjes die stilaan heviger werden tot het geroffel van de hagel oorverdovend werd.

Grote hagelbollen scheurden de schors van de bomen en ontbladerden ze. Fruitbomen verloren in minder dan drie tellen al hun vruchten en de gewassen op de velden werden platgeslagen. De hagelbollen sloegen gaten in de daken van de eenvoudige woningen en ze troffen alles en iedereen die niet tijdig de veiligheid van een huis had opgezocht. De angstkreten en het gehuil van kinderen werd overstemd door het geroffel van de storm. Nooit in de geschiedenis van Egypte was de natuur zo tekeergegaan.

Iedereen beefde onder dat geweld.

Tot de hagel plotseling overging in een zachte regen die straten en pleinen schoonveegde. De lucht kreeg langzaamaan weer zijn normale kleur. De vogels floten opnieuw alsof er niets was gebeurd. De dieren kwamen weer tevoorschijn en ook de mensenwereld herleefde schoorvoetend. Het gevaar was geweken, maar de aangerichte schade enorm.

Ramses liep naar de boerderij van het koninklijk domein. Alle dieren lagen dood.

'Ruim de kadavers op', gebood hij. 'Tegen niemand een woord. Wie praat, mag gaan werken in de grintgroeven.'

Ondanks zijn bedreiging duurde het niet lang of iedereen in Piramese wist dat de farao zijn eigen dieren niet had kunnen beschermen.

Er werden soldaten ingezet om de krengen op de velden en in de weiden te verwijderen, want met de warmte begonnen die vlug te stinken en zouden ze ziekten verspreiden. De doden werden begraven. Hoewel de meeste Egyptenaren op de hoogte waren geweest van de aangekondigde hagelbui, hadden velen die verwittiging in de wind geslagen.

Twee weken later besprak Ramses de toestand met zijn raadgevers, de commandant en de verantwoordelijken voor de akkers en de veldgewassen. Overal hadden ze inlichtingen verzameld en de schade laten opmeten. Er werd een noodplan opgesteld om, waar nodig, hulp te bieden.

'De natuur herstelt zich en een groot deel van de te verwachten oogst kon alsnog worden gered. We krijgen de schade onder controle, majesteit', zei de oudste raadgever.

'Wat mij meer verontrust, is de houding van de Hebreeërs. Doordat ze niet zoveel velden en akkers hebben als onze eigen mensen, werden zij niet zo hard getroffen. Ze bazuinen het zelfs uit dat zij volledig gespaard zijn gebleven van de hagelstorm. We mogen aannemen dat die uitspraken opschepperij zijn.'

'Er doet een bijzonder sterk verhaal de ronde onder hen', wist een andere raadgever. 'Hoewel het onzin is, moeten we er misschien toch rekening mee houden.'

'Vertel', eiste de farao.

'De Hebreeërs beweren hoe net vóór het losbarsten van de storm Mozes zijn staf naar de hemel richtte en hun god aanriep. Op dat moment begon de hagel te vallen. Geen enkele Egyptenaar heeft het zien gebeuren. Voor de Hebreeërs is het verhaal een geweldige opsteker. Ze zijn ervan overtuigd dat het zo is gebeurd en daardoor wordt de macht van Mozes nog groter. Alle stammen staan nu achter hem. Wat hij beveelt, voeren ze zonder aarzelen uit. We moeten daar ernstig rekening mee houden.'

Er volgde een lange stilte tot de commandant zei: 'Alles draait steeds weer rond Mozes. Wanneer hij weg is, keert de rust terug en worden de Hebreeërs opnieuw als kippen zonder haan.'

Iedereen keek naar de farao, benieuwd om te zien hoe hij zou reageren op die opmerking.

'Waaraan had je gedacht?' vroeg hij.

'Mozes opsluiten in de gevangenis maakt hem sterker in de ogen van de Hebreeërs. Enkel een nachtvreter kan voor een blijvende oplossing zorgen.'

Je kon een speld horen vallen. Een nachtvreter was een huurmoordenaar. Die aan het werk zetten, was een zware beslissing voor de farao. Vroeger was het wel eens gebeurd, nooit echter tijdens de regering van Ramses. Omdat de farao niets zei, ging de commandant door.

'Wordt Mozes ergens dood gevonden, aan de oever van de Nijl, tussen de opslagloodsen in de haven of in een kleine steeg, dan zorgt zoiets een paar dagen voor veel ophef. Wij beloven een grondig onderzoek dat vanzelfsprekend op niets uitloopt en tegelijk moeten een paar andere spectaculaire zaken voor de nodige afleiding zorgen. Het zal niet lang duren of de moord is vergeten.'

De man had gelijk, maar terwijl hij zijn voorstel verdedigde, herinnerde Ramses zich het antwoord van Mozes, toen hij een hele tijd geleden gedreigd had hem op te sluiten: 'Mocht u dat doen, dan kiest onze god iemand anders om mijn plaats in te nemen.'

Hij stuurde zijn medewerkers weg, zonder een besluit te

nemen over het inzetten van een nachtvreter. Dezelfde dag nog ontbood hij Mozes en Aäron. Hij ontving hen weer helemaal alleen. Beide mannen bogen voor de koning en omdat die niets zei, nam Mozes het woord.

'U was verwittigd dat het zou hagelen als u mijn volk niet het gevraagde offer laat brengen, majesteit.'

'Die hagelstorm was een te verwachten natuurramp', antwoordde de farao.

De twee Hebreeërs reageerden niet en Ramses zei: 'De oorzaak van deze ramp ligt bij een menselijke vergissing waarvoor ik de verantwoordelijken zal straffen. Jij kent onze goden, Mozes. Weet je nog wie onze oudste vruchtbaarheidsgod is?'

'U aanbidt daarvoor Apis, majesteit.'

'Jij weet dat hij wordt afgebeeld als een stier met een zonneschijf tussen de horens. Apis zorgt ervoor dat de natuurelementen, nodig voor een goede oogst, gunstig zijn. In een tempel te Sakkara houden we als eerbetoon aan die god een levende stier.'

'Het beest moet een driehoekige witte vlek hebben op zijn voorhoofd. Zijn flanken, poten en de punt van de staart moeten eveneens wit zijn', zei Mozes.

'Het doet me plezier dat je onze goden nog zo goed kent.'

'Ik ken ze allemaal, maar ik aanbid ze niet.'

Ramses deed of hij dat laatste niet had gehoord.

'De heilige stier in Sakkara is plotseling gestorven en de priesters hadden nagelaten tijdig voor een vervanger te zorgen die aan dezelfde uiterlijke kenmerken voldoet. Daartegen heeft de natuur geprotesteerd met een hevige hagelbui om ons attent te maken op die grove nalatigheid. Als jij er iets anders achter zoekt, of er jouw god bijhaalt, ben je gek.'

Mozes keek de farao strak aan.

'Is er al een nieuwe heilige stier?'

'De dode stier wordt volgens de rituelen gebalsemd en gemummificeerd. De nieuwe is een prachtbeest. Apis kan tevreden zijn. Hij zal zorgen dat de natuur zich herstelt en normaal verloopt zoals het moet.'

'Vraag die heilige stier in Sakkara eens hoe het komt dat er zoveel sprinkhanen op komst zijn. Waarschijnlijk hebben uw magiërs u al verwittigd.'

'Sprinkhanen? Welke sprinkhanen?' riep Ramses.

'De sprinkhanen die met miljoenen hierheen op weg zijn.'

'Wanneer komen ze?'

'Dat weet Apis misschien.'

Ramses liep rood aan van woede.

'Stel mijn geduld niet op de proef, Mozes. Er komen geen sprinkhanen. Dat zijn verhaaltjes van jou.'

'Als we ons offer mogen brengen, komen ze niet, farao.'

'Ik zal het overwegen', beloofde Ramses.

'Dat heeft u nog gedaan, majesteit. Onze god wordt ongeduldig. Hebben we over één week geen toelating, dan komen de sprinkhanen uit het oosten en vreten ze alles kaal. Wat na de hagelstorm nog overbleef, zullen ze tussen hun gulzige kaken vermorzelen.'

'Verdwijn!' snauwde de farao.

Zodra de twee Hebreeërs het paleis hadden verlaten, riep Ramses de generaal van het woestijnleger. Die kreeg het meest vreemde bevel uit zijn leven.

'Stuur onmiddellijk soldaten op snelle paarden naar de forten aan de oostelijke grens van het land. De commandanten moeten op regelmatige afstanden langsheen de grens grote vuren ontsteken en ze dag en nacht laten branden. Daarbij moet ook vochtig hout worden gebruikt, zodat er steeds een grote rookontwikkeling is.'

De farao hoopte dat de vuren en de rook de sprinkhanen zouden tegenhouden, want zonder het hardop te zeggen, vreesde hij de bedreiging van de god der Hebreeërs.

Een speciale boodschapper berichtte de priesters in Sakkara dat ze iedere dag offers moesten brengen voor Apis.

Een week ging voorbij. Ramses gaf niet toe aan de eis van Mozes. De Hebreeërs mochten het land niet verlaten. Egypte was goed beschermd. De vuren aan de grens brandden onafgebroken en veroorzaakten grote rookslierten. De commandanten van de forten dreigden hun soldaten met strenge straffen mocht door nalatigheid een van de vuren doven.

De achtste dag, vroeg in de ochtend, schrok Ramses wakker. Hij voelde zich nog moe en loom. In het halfduister liep hij de koninklijke tuin in die er desolaat bijlag als gevolg van de moordende hagelstorm.

Zou mijn energie nu al afnemen? vroeg hij zich af.

Misschien kon Amon hulp bieden.

Hij riep de paleiswachten en liet zich door hen op een draagstoel naar de grootste tempel van Piramese brengen. Die was toegewijd aan Amon, de meester van de Egyptische goden, de god die vader noch moeder had.

De hoofdpriester was vereerd met de onaangekondigde komst van Ramses. Was de farao zelf aanwezig in de tempel, dan verrichtte hij het gebruikelijke ochtendritueel.

De dragers bleven achter op de binnenplaats.

Het ritueel begon met een bad in het heilige meer, waarbij de farao zich grondig reinigde. De hoofdpriester opende de tempeldeur en ze liepen naar binnen.

De gloednieuwe tempel was gebouwd als woning voor Amon. Het interieur was een imitatie van de natuur. Vanuit de zilverkleurige vloer, die het water voorstelde, groeiden zuilen gevormd als palmbomen. Ze steunden het plafond dat beschilderd was met sterren waartussen ondergeschikte goden in schepen langs het hemelgewelf voeren. In iedere ruimte die ze betraden, lag de vloer iets hoger en was het plafond een weinig lager. Daardoor werden de achter elkaar liggende vertrekken smaller en donkerder om te eindigen in het sanctuarium, de heiligste plaats van de tempel.

De hoofdpriester bleef staan en Ramses ging alleen naar binnen. Op een granieten altaar stond het schrijn met het beeld van Amon erin. De farao nam de god eruit, besprenkelde hem met parfum en trok hem schone kleren aan.

In een bijvertrek had de hoofdpriester intussen het voedsel voor Amon bereid en Ramses zette het voor het beeld van de god. Hij trok zich terug, zodat de allerhoogste symbolisch en in alle rust kon eten. Later op de dag zouden de priesters en de tempeldienaars de maaltijd echt verorberen.

Toen het ochtendritueel afgelopen was, voelde Ramses zich stukken beter. Vanuit de zuilenzaal liep hij over een stenen trap naar het dak van de tempel. Amon had genoegen genomen met het ritueel en hij toonde dat door een stralende zon die hij langzaam hoger en hoger liet klimmen. Het beloofde een mooie dag te worden.

Ramses genoot. Hij leunde tegen de borstwering, tuurde in de verte, zag een paar fijne rookspiralen van de vuren en knikte tevreden. Het water in de Nijl rimpelde zachtjes stroomafwaarts. De lucht was helder en Ramses kwam het voor of hij diep in het hemelse luchtruim kon zien. Hij sprak een dankgebed uit voor de goden. Het fluiten van de vogels overstemde de zachte geluiden van de ontwakende stad. Door zelf het dagelijkse morgenritueel in de tempel te verzorgen, had hij de god Amon gunstig gestemd. De farao sloot de ogen, draaide zijn gezicht naar de zon en koesterde zich in de warmte van haar stralen.

Plotseling zwegen de vogels en de geluiden van de stad verstomden!

De stilte was beangstigend.

Verbaasd opende Ramses de ogen en keek rond.

Toen hoorde hij het... een zacht gezoem.

Een grote wolk kwam snel dichterbij en in een mum van tijd was de zon verduisterd. Voor Ramses van zijn verbazing was bekomen, zat hij van kop tot teen onder de sprinkhanen. Ze waren dus toch gekomen!

Hij hoorde en voelde niets anders meer dan het ritselen en kriebelen van duizenden vleugels. Verschrikt sloeg hij de beesten van zich af en vluchtte de tempel in.

Zijn dragers waren bij de invasie van de sprinkhanen de binnenplaats ontvlucht en hadden bescherming gezocht in een bijgebouw van de tempel. Zijn draagstoel lag gekanteld op de grond. Ramses rende naar het paleis. Het kraken van de sprinkhanen, die hij onder zijn voeten verpletterde, klonk hem als een verwijt in de oren. Hier en daar zag hij mensen de meest gekke bewegingen maken in een poging zich te ontdoen van de beesten die zich aan hen vastklampten. Met veel moeite slaagde hij erin het paleis te bereiken.

Overal zaten sprinkhanen. Het leek avondlijk duister in de plaats van morgenlicht. De ene zwerm sprinkhanen na de andere kwam vanuit het oosten aanvliegen, onophoudelijk. Ze stortten zich overal op. Al het groen en alle gewassen die nog restten na de geweldige hagelstorm, werden kaalgevreten. Het gewone leven lag stil, want niemand durfde buiten te komen.

Twee dagen lang bleven de sprinkhanen komen. Wat de magiërs ook probeerden, welke bezweringen ze ook uitspraken, ze konden niets tegen die beesten beginnen. Ze wisten enkel dat in het verleden nog sprinkhanenplagen waren voorgekomen en dat de diertjes, gedragen op de oostenwind, vanuit het Sinaïgebied kwamen. Veel hielp die kennis niet.

Ramses ziedde van woede en gelastte Mozes en Aäron op te halen.

'Grijp ze en breng ze hier!' riep hij.

Toen de soldaten de twee Hebreeërs naar binnen brachten, waren de militairen van kop tot teen bedekt met sprinkhanen. Op de broers zat geen enkel beest.

'Hoe kan dat?' vroeg Ramses fluisterend aan zijn lijfarts.

'Ze hebben zich waarschijnlijk ingesmeerd met een aftreksel van kruiden dat sprinkhanen afstoot', veronderstelde de dokter. 'Het zou interessant zijn om dat middel te kennen.'

Mozes en Aäron bleven roerloos staan en zeiden geen woord.

'Waarom?' vroeg Ramses.

Mozes haalde zijn schouders op. Het wilde zoveel zeggen als: ik had u verwittigd.

'Ik geef je toestemming om voor jullie god een offer te brengen in de woestijn', zei de farao. 'Wie gaan er mee?'

'Iedereen, majesteit. Onze vrouwen, onze zonen en dochters, schapen, geiten en koeien. Iedereen viert het offer voor onze god.'

'Je speelt met mijn goedheid, Mozes. Jij spreekt van een offer. Ik geloof daar niets van. In werkelijkheid willen jullie verdwijnen. Daar zou je wel eens spijt van kunnen krijgen. Enkel de mannen mogen naar de woestijn voor dat offer waarover je al zo lang zeurt.'

'Dat kan ik niet aanvaarden, majesteit. Iedereen moet mee.'

Een van de raadsheren fluisterde Ramses in het oor dat hij hem dringend moest spreken. Mozes en Aäron werden naar een nevenvertrek geleid.

'Goed nieuws, majesteit', zei de raadgever toen beide Hebreeërs weg waren. 'De felle oostenwind is plotseling gekeerd en nu waait er uit volle kracht een hevige westenwind. Hij voert de sprinkhanen recht de Rietzee in. Het duurt niet lang meer of we zijn van die rotbeesten verlost.'

Dat bericht monterde Ramses op.

'Laat de Hebreeërs terugkomen', beval hij.

Onbewogen stapten Mozes en Aäron tot voor Ramses' troon. 'Het is te laat', kregen ze te horen. 'Je hebt geen gebruik willen maken van mijn aanbod. Mijn voorstel geldt niet meer. Scheer jullie weg! Ons gesprek is afgelopen. Ik wil jullie niet meer zien!'

'U hebt gelijk,' antwoordde Mozes, 'u zult me zelfs niet kunnen zien, want zoals de duisternis uw hart omsluit, zo zal Egypte in het donker moeten leven.'

Na het uitspreken van die raadselachtige woorden, liepen Mozes en Aäron naar buiten.

De volgende dagen kreeg Ramses het ontzettend druk. Doordat de sprinkhanen alles hadden kaalgevreten, restte er niets meer om te oogsten. Gelukkig waren dank zij de voorbije vruchtbare jaren de officiële voorraadschuren tot de nok gevuld. Voldoende om de Egyptenaren voedsel te bezorgen tot de volgende oogst. Soldaten werden in het hele land ingezet om de voorraden te bewaken. Iramoen was dag en nacht in de weer met het opstellen van lijsten over de precieze hoeveelheden voedsel en hoe die gebruikt mochten worden, en wie ervoor in aanmerking kwam. Hebreeërs waren daar niet bij.

De koninklijke schatbewaarder stelde een gedeelte van de Egyptische goudvoorraad ter beschikking. Dat goud werd gebruikt door afgezanten om buiten Egypte voedsel aan te kopen. Niemand zou verhongeren.

Ondanks die zware tegenslag waren de Egyptenaren tevreden over hun farao. Ze vonden dat hij hun belangen uitstekend behartigde en over hen waakte zoals het de zoon van een god betaamt.

'Mijn mensen worden ongeduldig, Mozes.'

Met die woorden opende Simeon, een van de stamvaders, de bijeenkomst die gehouden werd in het huis van Aäron.

Allen waren het eens dat het hoog tijd werd om te vertrekken naar Kanaän, het beloofde land. Zelfs voor Levi, vroeger de ergste tegenstander van Mozes, kon het niet vlug genoeg gaan.

'Als de farao geen toestemming geeft, moeten we met geweld vertrekken', stelde Ruben voor.

'Het duurt niet lang meer', beloofde Mozes. 'Er zal drie dagen lang duisternis komen over Egypte. Dan roept de farao me weer bij zich en kort daarop gaan we op weg. Ik zal op tijd de nodige instructies geven.'

De duisternis die Mozes had voorspeld, trad langzaam in, onmerkbaar bijna. Het daglicht begon later en de donkerte viel veel vroeger in. Met de dreiging van Mozes in het achterhoofd, pleegde Ramses overleg met zijn astrologen en hij vroeg hen: 'Wat is er aan de hand? En kom niet weer aandraven met een natuurlijk fenomeen.'

'Toch is het waarschijnlijk zo, majesteit', waagde een van hen het te zeggen. 'Hete woestijnwinden, de chamasins, zuigen zand op en dat vormt na een tijd een fijn gordijn dat het licht niet doorlaat. In de woestijn gebeurt zoiets geregeld. Piramese ligt dicht bij de woestijn en het is dus normaal dat we daarvan de invloed ondergaan.'

Een week later bleef het op een morgen aardedonker. In alle vertrekken van het paleis brandden olielampen. Ramses stuurde soldaten met toortsen de stad in. Bij hun terugkomst meldden ze dat alle leven er stil lag. Overal heerste duisternis.

Na drie dagen werd de situatie onhoudbaar.

'Als jullie onbekwaam zijn om er wat aan te doen, moet Mozes komen', snauwde de farao tegen zijn magiërs en astrologen. 'Dit is weer een van zijn streken. Haal hem!'

'Hij zal moeilijk te vinden zijn in het duister, majesteit', zei het hoofd van de paleiswacht.

'Ik weet het huis van zijn broer Aäron blindelings te vinden', bood Iramoen aan.

'Haal hem, mijn zoon', zei Ramses.

Tastend zocht Iramoen zijn weg door de verlaten straten van Piramese. De duisternis was te snijden en het ademen werd moeilijk. Hoe dichter hij de Hebreeuwse wijk naderde, hoe lichter het werd. Vreemd, dacht de knaap. Daar hebben de soldaten niets van gemeld.

Ofwel waren de woestijnwinden die het zand aanvoerden niet tot hier geraakt. Of de soldaten waren niet tot hier gekomen met hun patrouilles. Of ze hadden het wel gedaan, maar het verzwegen om Ramses niet boos te maken.

'De farao heeft jou gestuurd', zei Mozes toen hij de deur voor Iramoen opende. 'Ik ga met je mee.'

Hij legde zijn hand op de schouder van Iramoen en liet hem

voor zich uitlopen. In het donkere gedeelte rond het paleis zagen ze de lichtschijn van de olielampen die door de ramen naar buiten straalde.

In het paleis boog Mozes op de gebruikelijk beleefde manier voor de farao die op ongeduldige toon grauwde: 'Ik heb nog eens nagedacht en ben bereid een toegeving te doen. De mannen mogen de kinderen meenemen voor het offer dat jullie in de woestijn aan die god van je willen brengen. De vrouwen en het vee blijven hier. Daar zal die god van jou wel mee akkoord gaan.'

'Hij is er niet tevreden mee, majesteit.'

'En waarom niet, Mozes? Omdat jij zo'n goede onderhandelaar bent, was ik bereid zo ver te gaan.'

'U weet toch, majesteit, dat wij voor onze god vlees- en brandoffers brengen. Daarvoor hebben we ons vee nodig.'

'Ik zal je de nodige dieren meegeven. Zeg wat je nodig hebt.'

Mozes spreidde in een gebaar van ongeloof zijn armen wijd open en zei: 'Het offer dat we brengen, moet uit onze eigen kudde komen. We weten pas welke dieren we zullen offeren als we ter plaatse zijn.'

Het werd Ramses te veel.

'Ik heb genoeg geduld gehad, Mozes. Verdwijn uit Piramese! Als een van mijn soldaten je oppakt, word je onmiddellijk gedood. Dat bevel gaat in vanaf het ogenblik dat je mijn paleis verlaat.'

Voor het eerst tijdens al zijn ontmoetingen met de farao werd Mozes woedend.

'De wraak van de Heer, onze god, zal groot zijn. Het duurt niet lang of hij zal door Egypte trekken. Op zijn doortocht sterft iedere oudste zoon in het land. Of het nu uw zoon is, de kroonprins, of de zoon van de slavin die het koren maalt. Ook al het eerstgeboren vee zal sterven. In het hele land zal luid worden geklaagd, zo luid als men het nog nooit heeft gehoord. Geen hond echter zal tegen de Hebreeërs blaffen. Velen van uw volk, farao, zullen smeken om met ons mee te mogen gaan.'

Vooraleer Ramses kon reageren op die zware bedreiging, beende Mozes de zaal uit. Aan de deur draaide hij zich nog even om en zei: 'Wat nu komt, is erger dan de kleine ongemakken die Egypte tot nog toe hebben getroffen.'

'Kleine ongemakken noemt hij dat…' mompelde de farao.

Mozes liep naar buiten en werd opgeslokt door de duisternis. Zodra hij was verdwenen, werd het stilaan lichter.

De farao was diep geschokt door de bedreiging van Mozes. Diezelfde avond had hij in de koninklijke tuin een gesprek met Kenan, de spion.

'Van nu af wil ik iedere avond een verslag over wat in de Hebreeuwse wijk gebeurt, vooral in het huis van Aäron', beval hij. 'Alles kan van belang zijn. In de eerste plaats wil ik weten waar Mozes zich schuilhoudt.'

'Niet gemakkelijk, majesteit', antwoordde Kenan. 'Mozes is ondergedoken.'

'Ik duld geen tegenspraak', blafte de farao. 'Ik móét weten wat de Hebreeërs van plan zijn!'

'Mijn grootvader, de blinde Gerson, is gestorven', jammerde Kenan. 'Daardoor heb ik geen toegang meer tot de bijeenkomsten van de stamvaders. Daar wordt alles beslist.'

'Je moet er maar wat op vinden. Iedere avond ben je hier en wanneer je niet komt opdagen, zullen mijn soldaten je weten te vinden.'

Al verwachtte Ramses er niet veel van, toch wilde hij iedere mogelijkheid benutten om meer aan de weet te komen. En het hielp!

Twee avonden later, de eerste dag van de nieuwe maand, had Kenan bijzonder nieuws voor de farao.

'De Hebreeërs hebben van Mozes de opdracht gekregen om op de tiende dag van deze maand een schaap of een geit te kopen. Het moet een mannetje zijn, slechts één jaar oud en het mag geen enkel gebrek vertonen. Dat dier moeten ze vier dagen bijhouden.'

'En dan? Wat moeten ze daarmee?'

'Zeker weet ik het niet, majesteit. Het zijn wel de voorwaarden waaraan een offerdier moet voldoen. Verdere instructies volgen later, ik houd u op de hoogte.'

Met die kennis gaf Ramses zijn magiërs een opdracht. Ze moesten alles opzoeken wat verband hield met schapen en geiten én onderzoeken wat de betekenis was van het getal tien. Veel vonden ze niet.

Koeien, stieren, rammen, katten, valken, vrouwelijke cobra's, jakhalzen, mestkevers, leeuwen, ibissen, bavianen... allemaal speelden ze een rol bij een of andere Egyptische godheid. Over een schaap en een geit was niets bekend.

De magiërs gingen zover dat ze een schaap slachtten en de ingewanden onderzochten, waarna ze hetzelfde deden met een geitje. Het leverde niets op.

Het bevel van Mozes was heel Egypte rondgegaan, naar alle plaatsen waar Hebreeërs woonden.

Iedere avond bracht Kenan trouw verslag uit aan de farao, hoe weinig hij ook aan de weet was gekomen. Waar Mozes zat, kon hij niet vertellen.

Omdat hij het huis van Aäron goed kende, had hij achteraan een raampje ontdekt dat uitgaf op een klein vertrek achter de plaats waar de stamvaders vergaderden. Hij kon er flarden van de gesprekken opvangen en de rest fantaseerde hij er zelf bij.

Op de tiende dag meldde hij: 'Iedere Hebreeuwse familie heeft een schaap of een geit gekocht.'

Dat wist Ramses. Zijn inlichtingendienst had hem op de hoogte gebracht: Hebreeërs hadden massaal jonge schapen en geiten gekocht. Kleine gezinnen deden de aankoop samen met buren.

'Wat gebeurt er nu?' vroeg Ramses.

'Over vier dagen, de veertiende dag dus, slachten de Hebreeërs tegen het vallen van de avond de dieren. Het bloed moeten ze opvangen in een kom en er de posten en de bovenbalk van hun voordeur mee instrijken.'

De farao fronste de wenkbrauwen.

'En dan?' drong hij aan.

'Op bevel van Mozes moeten ze het vlees onmiddellijk braden, hun reiskleren en sandalen aantrekken, een staf in de hand houden en in alle haast eten.'

'Enkel het gebraden vlees?'

'Het vlees samen met brood zonder gist en bittere kruiden.'

'Heeft hij daar een reden voor gegeven?'

Kenan wist het niet.

'Waarom dat bloed aan de deur?'

Kenan aarzelde met zijn antwoord. Ramses zag het en greep hem vast.

'Vertel het of je rot de rest van je leven weg in de gevangenis.'

Met bevende stem zei de jongen: 'Mozes heeft gezegd dat die nacht de god een engel stuurt. Hij zal de Egyptenaren straffen omdat de Hebreeërs geen offer mochten brengen in de woestijn.'

'Wat voor een straf?' vroeg de farao.

Hij kende het antwoord op zijn vraag.

'Het is een doodsengel en hij zal alle eerstgeborenen van

Egypte doden. De huizen met offerbloed aan de deur loopt hij ongemoeid voorbij. Vergeef me, majesteit.' Kenan liet zich voor de farao op de grond vallen en greep met beide handen de voeten van Ramses. 'Ik heb u alles verteld wat ik weet.'

Ramses trok hem ruw overeind.

'Onzin! Wat zeiden de stamvaders?' snauwde hij.

Kenan beefde nog meer.

'Er zijn praatjes.'

'Welke praatjes?'

'Toen de stamvaders naar huis gingen, hoorde ik een paar van hen opperen dat Mozes met die doodsengel misschien een doodscommando bedoelde dat hij in alle stilte heeft gevormd. Ze vrezen dat de uittocht zal gepaard gaan met een bloedbad.'

'Uittocht? Welke uittocht?'

'Wij moeten toch het gebraden schapen- of geitenvlees eten met onze reiskledij aan. Daarom denkt iedereen dat we binnenkort zullen vertrekken naar Kanaän.'

'Hou me verder op de hoogte. Heb je Mozes nog gezien?'

'Nee, majesteit. Ik weet niet hoe of waar hij zijn bevelen geeft. Hij verschijnt en dan is hij weer weg. De stamvaders zijn ervan overtuigd dat hij de avond van het offer weer onder ons zal komen.'

'Die avond kom je mij vertellen in welk huis hij zich schuilhoudt.'

Met een bang hart hobbelde Kenan de nacht in.

Met een gouden ketting, vol kleine gouden amuletten om de nodige bescherming af te smeken, om zijn hals, hield Ramses beraad met zijn naaste medewerkers.

'Wat hier wordt verteld en beslist, blijft geheim.' Met die zin opende hij de vergadering. 'Geen woord van wat hier wordt gezegd, mag deze zaal verlaten.' Hij richtte zich tot Iramoen die klaar zat om alles te noteren. 'Wat je schrijft, berg je straks op in een leren koker die ik persoonlijk zal verzegelen. Wie mijn bevelen overtreedt, zal bij zijn dood worden opgevreten door de zielenverslinder, zodat hij nooit herboren kan worden.'

Iedereen huiverde bij die dreiging van de godenzoon. Ramses ging verder.

'Over drie dagen houden de Hebreeërs 's avonds een offermaaltijd, ieder gezin in zijn eigen huis. Met het bloed van de offerdieren gaan ze posten en bovenbalk van de voordeur instrijken. Mozes heeft hen verteld dat die nacht een doodsengel op bevel van hun god alle eerstgeborenen van de Egyptenaren zal doden. De huizen met bloed aan de deur gaat hij voorbij.'

De aanwezigen waren op de hoogte van de bedreiging die Mozes tegen de farao had uitgesproken. Hoe die zou uitgevoerd worden, vernamen ze nu voor het eerst.

'U neemt die dreiging ernstig, majesteit?' vroeg de commandant, belast met de bescherming van de stad.

'Ik hou met alles rekening', antwoordde Ramses. 'We hebben de plicht onze mensen te beschermen.'

'Als iedereen bloed aan de buitendeur strijkt, zijn allen veilig', stelde een raadgever voor.

De farao reageerde ongeduldig.

'Ik heb informatie uit een betrouwbare bron. Dat van die doodsengel is onzin. Mozes heeft waarschijnlijk een moordcommando opgericht. Dat bloed gebruikt hij als voorwendsel om zijn mensen in de hand te houden. De leden van zijn commando weten natuurlijk waar Hebreeërs wonen en waar Egyptenaren. Jouw voorstel houdt teveel risico's in.'

'Ik laat Mozes aanhouden', stelde de commandant voor.

'Hij zit ondergedoken. Doe je best en vind hem.'

De commandant knikte. Dat bevel had hij al een paar dagen voordien gekregen, maar Mozes was, net zoals na de moord, onvindbaar. Had hij hem mogen aanhouden bij zijn laatste bezoek aan de farao, dan waren er nu geen problemen geweest.

'Zijn broer?' vroeg hij. 'Wat doe ik met hem?'

'Laat die met rust, maar houd hem onafgebroken in het oog. Tijdens de nacht van het Hebreeuwse offer moeten overal – overal, hoor je! – soldaten patrouilleren. Geen groot vertoon. Kleine groepjes. Wie zich na het vallen van de duisternis op de straat bevindt, wordt zonder verwittiging gedood.'

'Dan moeten we onze eigen mensen verbieden na valavond het huis te verlaten.'

'Doe dat.'

Alle aanwezigen waren onder de indruk van die kordate beslissing van de farao, een ander voorstel hadden ze niet.

De avond vóór het bloedoffer berichtte Kenan aan de farao dat ook de Hebreeërs het bevel hadden gekregen van Mozes om zich in geen geval in het donker op de straat te begeven. Iemand uit de raad heeft geklikt, dacht Ramses. Ze weten dat mijn soldaten gaan patrouilleren. De zielenverslinder zal met die verrader afrekenen.

'Dat bevel geldt niet voor jou', richtte Ramses zich tot Kenan. 'Jij vertelt me morgenavond waar Mozes zich bevindt. Je beloning zal groot zijn.'

In ieder huis waar een Hebreeuwse familie woonde, brandden de olielampen en geurde het naar gebraden vlees. Bovenbalken en deurposten waren ingestreken met het bloed van de geslachte offerdieren.

De verwachtingen van de Hebreeërs waren hooggespannen. Ze hadden stipt de instructies van Mozes opgevolgd en waren nieuwsgierig naar wat komen zou. Zoals opgedragen hadden ze hun reiskledij aangetrokken en aten ze rechtstaande van het offervlees, het brood zonder gist en de bittere kruiden.

Ze vonden het vreemd dat ze moesten eten in hun reiskledij. Er was geen bevel gegeven om na de maaltijd te vertrekken. Zouden ze dat zomaar mogen?

Buiten hoorden ze nu en dan de soldaten van de farao voorbijmarcheren. Waarom liepen die daar? De onzekerheid woog zwaar, maar ze hadden alle vertrouwen in hun stamvaders.

'Deze dag wordt ons paasfeest', hadden die hun gezegd. 'Eens in het beloofde land Kanaän zullen we de dag van de uittocht ieder jaar opnieuw vieren. De bittere kruiden zullen ons dan herinneren aan de bitterheid van de slavernij waaruit we zijn weggetrokken en het brood zonder gist aan de haast waarmee dat gebeurde.'

Zouden ze dan toch totaal onverwacht vertrekken?'

Aan een van de Hebreeuwse huizen ging de voordeur, waarvan bovenbalk en deurposten waren ingesmeerd met bloed, open. Even viel er een straal licht naar buiten en toen was de deur alweer dicht. Een gestalte sloop de straat op. Kenan begaf zich op weg naar de farao. Hij kon hem niet veel vertellen en zeker niet waar Mozes was, want hij had hem niet gezien. Hij zou Ramses vertellen dat het offermaal in volle gang was. Meer wist hij niet.

Toen hij op het plein voorbij de tempel van Amon liep, riep een van de patrouillerende soldaten naar hem. Kenan keek niet om en hobbelde verder. Hij moest naar de farao en die had hem de toelating gegeven om in het duister buiten te lopen. De soldaat riep nog eens en toen Kenan voor de tweede keer geen gevolg gaf aan zijn bevel volgde de soldaat de opgelegde instructies en spande zijn boog.

Een pijl doorboorde de rug van Kenan en bleef in zijn hart steken. Tegen de buitenmuur van de tempel zakte hij dood in elkaar, zonder één kreet te slaken.

Kreten van smart klonken wel uit de huizen waar Egyptenaren woonden. De soldaten wisten niet hoe ze daarop moesten reageren. Ze hadden niemand gezien die een bedreiging kon vormen.

Was de doodsengel aan zijn taak begonnen?

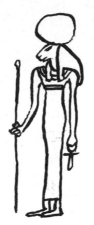

Er was een hevige discussie aan de gang in de grote ontvangstzaal van het paleis. Ze ging over de doden die de
voorbije nacht waren gevallen, enkel bij de Egyptenaren. De
Hebreeërs telden slechts één dode, Kenan. De artsen hadden
de opdracht gekregen zoveel mogelijk lijken te onderzoeken,
vóór die werden gemummificeerd, om de doodsoorzaak
vast te stellen.

De geruchtenmolen draaide op volle toeren. De commandant die had gezorgd voor de bescherming van de stad
bezwoer de farao dat zijn manschappen hun bewakingswerk
de afgelopen nacht grondig hadden volbracht zonder één
moment van onoplettendheid en dat er van een moordcommando geen sprake kon zijn.

Angst had toegeslagen bij de Egyptenaren. Met luide stem
eisten ze het vertrek van de Hebreeërs. Zij waren de schuldi-
gen van alle onheil en ze moesten het land uit.

'We geven hen geen toelating om te vertrekken, maar we stú-
ren ze weg, we jágen hen het land uit', besliste de farao. 'En
onmiddellijk. Dan pas kan de rust in Egypte terugkeren.'

Zodra dat besluit bekend werd, kwamen de Hebreeuwse

families van overal aanzetten. Op karren en ezels hadden ze hun hele hebben en houden gestapeld. Wie geiten, schapen of runderen had, voerde ze met zich mee. De Egyptenaren waren wat blij dat de Hebreeërs vertrokken. Sommigen gaven hen zelfs zilveren en gouden juwelen, opdat ze maar zo vlug mogelijk het land zouden verlaten. Hoe vlugger de Hebreeërs weg waren, hoe vlugger ze veilig zouden zijn.

Met duizenden en duizenden trokken de Hebreeërs oostwaarts naar de woestijn waarachter het beloofde land lag. Vooraan liepen Mozes en Aäron.

Toen allen weg waren, haalden de Egyptenaren opgelucht adem.

Het was een onoverzichtelijke lange rij mannen, vrouwen, kinderen en dieren die in de richting van de woestijn marcheerde. In hun haast om te vertrekken hadden ze slechts weinig proviand meegenomen. De stamvaders maakten zich zorgen over dat gebrek aan voldoende voedsel. Hoe zouden ze in de woestijn zoveel monden kunnen voeden? De Hebreeërs, blij met hun vrijheid, zongen de lof van hun leider.

Ruben verwonderde er zich over dat ze in oostelijke richting trokken en hij vroeg Mozes waarom hij dat deed.

'De weg naar Kanaän is veel korter als we eerst naar het noorden en daarna door het gebied van de Filistijnen trekken', zei de stamvader.

'In het noorden moeten we voorbij de Egyptische forten die de grens bewaken', antwoordde Mozes. 'Dat wil ik vermijden en mochten daarna de Filistijnen gewelddadig worden, dan krijgen onze mensen misschien spijt zodat ze terug naar Egypte willen.'

Door de grote massa vorderden de Hebreeërs uiterst traag. Ze hadden echter alle tijd en veel vertrouwen in hun leider.

Egyptische verkenners bespiedden de weg die ze volgden en meldden dat aan de generaal van het woestijnleger.

In Egypte raakten de artsen het niet eens over de oorzaak van de vele doden. Ze bleven erover twisten. De gewone burgers waren eerst opgelucht omdat ze dachten dat met het vertrek van de Hebreeërs ook het gevaar geweken was. Stilaan kwam echter de ontnuchtering. Het verdriet over de doden maakte plaats voor woede. Zij die de Hebreeërs hadden gesteund bij hun vertrek, betreurden het dat ze zo dom waren geweest. De Egyptische opzichters van de bouwwerken klaagden algauw over een nijpend gebrek aan slibstenen, want geen enkele Egyptenaar wilde dat zware werk verrichten. Rijke families, die door het vertrek van de Hebreeërs hun personeel waren kwijtgespeeld, zaten met de handen in het haar, omdat ze nu zelf aan de slag moesten. De huidige ongemakken wogen zwaarder dan de voorbije plagen, die waren intussen vergeten geraakt. Overal klonk luid protest.

Opnieuw vergaderde Ramses met hen die mee het land bestuurden. De problemen werden besproken en de farao zei: 'Er is maar één oplossing. We halen de Hebreeërs terug.'

'Een wijs besluit', knikten de raadgevers. 'Zonder hen gaat onze welvaart met reuzenschreden achteruit.'

Ook de generaal van het woestijnleger ging onmiddellijk akkoord.

'Ik weet precies waar ze zijn', grinnikte hij. 'Ze trekken in de richting van de Rietzee. Hoe ze die gaan oversteken, is me een raadsel. Voor ze daarin slagen, hebben we hen weer te pakken.'

Ramses kondigde aan dat hij zou meegaan. Alle bruikbare strijdwagens werden ingezet. Twee dagen later vertrok een groot leger vanuit Piramese. De farao mende eigenhandig de koninklijke strijdwagen. Hij werd vergezeld door Iramoen die het verslag van de expeditie moest optekenen.

Intussen waren de Hebreeërs gestrand aan de Rietzee, een moerassig gebied met verraderlijke plekken drijfzand die geregeld overspoelden. Een gebied dat zelden helemaal droog stond. Slechts weinigen waagden zich in die woestenij en wie het toch deed, moest zijn poging meestal met de dood bekopen. Enkel wanneer een felle oostenwind blies, kwamen grote stukken moeras droog te liggen en kon men redelijk veilig door de Rietzee trekken. Maar het bleef altijd levensgevaarlijk.

'Zouden we toch niet beter noordwaarts trekken?' vroeg Ruben weer.

'We rusten hier even uit en trekken dan door de Rietzee', antwoordde Mozes.

'Een gevaarlijke onderneming', twijfelde Ruben.

Simeon kwam aangelopen.

'Slecht nieuws, Mozes', hijgde hij. 'De farao is met een grote groep Egyptische soldaten in strijdwagens op weg hierheen. Hij wil ons beslist terughalen. Ze vorderen snel. Het duurt niet lang of ze halen ons in.'

'We zitten in de tang', huiverde Aäron. 'Vóór ons de Rietzee en achter ons de soldaten.'

'Als onze mensen dat weten, breekt er paniek uit', wist Ruben.

'De wind helpt ons', zei Mozes.

Hij stak zijn staf uit naar de Rietzee.

De oostenwind wakkerde aan in volle hevigheid en blies een brede strook moeras droog. De Hebreeërs keken met angst naar de doorgang. Niemand durfde de stap zetten tot Mozes het voorbeeld gaf. Met zijn staf in de hand stapte hij vastberaden het gebied van de Rietzee in. Links en rechts van hem glinsterde water op de gevaarlijke plekken drijfzand. Met voorzichtige passen liepen de eerste vluchtelingen achter hun leider. Toen de anderen merkten dat het kon, volgde de hele colonne.

Ramses die vooraan naast de generaal reed, zag van ver de Hebreeërs door het gevaarlijke gebied trekken. Hij hield de paarden in en keek vol ongeloof naar het spektakel. Wat bezielde hen? Gingen ze zelfmoord plegen?

'Wat doen we, majesteit?' vroeg de generaal.

'Wat zij kunnen, kunnen wij ook. Haal hen terug!'

'Er achteraan!' schreeuwde de generaal.

Ramses zette zijn wagen op een kleine heuvel en spoorde de soldaten aan hun generaal te volgen. Vooraan in het droogste gedeelte ging de achtervolging tamelijk vlot. Dieper de Rietzee in werd de grond zachter. De strijdwagens waren te zwaar en de wielen liepen vast in de modder. Zwepen knalden om de paarden aan te sporen harder te trekken. Sommige strijdwagens probeerden de vastgelopen wagens vóór hen te omzeilen, maar ze raakten op hun beurt vast. Het werd één grote chaos. Bevelhebbers brulden bevelen die zonder gevolg bleven.

Iramoen tuurde in de verte en hij meende Mozes te zien die zijn staf hief. Een nieuwe bedreiging?

De wind draaide van oost naar west en begon nog heviger te waaien. Water borrelde op vanuit de grond waarin de strijdwagens vastzaten. Het vulde de doorwaadbare strook, eerst zachtjes, dan sneller.

'Terug!' gilde de generaal en hij probeerde zijn strijdwagen te keren. Het bleek onmogelijk.

Het water kwam nog heviger opzetten, paniek brak uit. De soldaten sprongen uit hun wagens en trachtten zich al

lopend te redden. De lucht was gevuld met angst- en doods-
kreten. Soldaten zakten weg in modder, drijfzand en water.
Ze schreeuwen om hulp en staken smekend hun armen uit.
Ze werden echter dieper geduwd door hun eigen makkers
die over hen heen klauterden om te ontsnappen aan de ver-
drinkingsdood.

Ramses keek met ontzetting toe hoe zijn hele divisie in de
Rietzee verdween.

'Mozes!' brulde hij.

Zijn kreet ging verloren in het gebulder van de wind.

'Zou hun god dan toch sterker zijn dan al de onzen?' prevelde Iramoen.

Ramses hoorde het niet.

Er liep één traan over zijn wang, een traan van onmacht en
woede.

'...Pas na een tocht die veertig jaar duurde, trokken de Hebreeërs Kanaän binnen. Later kreeg het land de naam Palestina en nu heet het Israël. Tot de dag van vandaag maakt men ruzie over het eigendomsrecht van het beloofde land.'

Hassan is onder de indruk van het verhaal van David, al zit hij nog met heel wat vragen.

'Wat gebeurde er met de volkeren die in dat beloofde land woonden toen de Hebreeërs daar aankwamen?' vraagt hij.

'Zij werden verslagen en verjaagd, want de Heer was met de Hebreeërs, omwille van zijn belofte.'

'En Mozes werd natuurlijk hun koning?'

'Toch niet. Omdat Mozes tijdens de tocht aan de Heer had getwijfeld, mocht hij het beloofde land niet in.'

Alledrie staren ze stilzwijgend voor zich uit.

Hassan wijst naar de gedroogde bloedvlekken op de deuren aan de overkant.

'De Hebreeërs werden in Egypte gered door het bloed aan de deuren. Sommige Palestijnen vergieten nu hun eigen bloed.'

'Samen met het bloed van onschuldige joden,' mompelt Benjamin, 'Israël is van de joden.'

De zon doet de vergulde top van de Rotskoepel schitteren.

Hassan antwoordt niet. Hij schudt zachtjes met zijn hoofd en zijn lippen vormen onhoorbaar de woorden: mijn land.

Ahmed, de pa van Hassan, voegt zich bij het groepje. De twee vaders aarzelen een ogenblik en reiken dan elkaar de hand.

In de verte ratelt een machinegeweer.

Toëris godin van moederschap

 Ptah god van de artiesten

 Thot god van de schrijvers

 Wadjet beschermster Beneden Egypte

 Horus hemelgod

 Sobek krokodillengod

 Heket godin voor de geboorten

 Neit oorlogsgodin

 Selkis beschermster van het leven

 Osiris bekendste god

 Apis vruchtbaarheidsgod

 Set god van wind en stormen

 Ra zonnegod

 Anoebis dodengod

 Sechmet doodsbode